basic Russian *workbook*

Natalia Walker

Berlitz Publishing Company, Inc.

Princeton   Mexico City   Dublin   Eschborn   Singapore

© 1995 Berlitz Publishing Company, Inc.

400 Alexander Park, Princeton, NJ, 08540, USA
9-13 Grosvenor St., London W1X 9FB, UK

Berlitz Trademark Reg. U.S. Patent Office and other countries

ISBN 2-8315-5084-X

Workbook series devised by Lynne Strugnell

Russian Workbook written by Natalia Walker

Second Printing – March 1998

Printed in USA

CONTENTS

Introduction

For over a century, Berlitz language courses and books have helped people learn foreign languages for business, for pleasure and for travel – concentrating on the application of modern, idiomatic language in practical communication.

This *Berlitz Russian Workbook* is designed for students who have learned enough Russian for simple day-to-day communication and now want to improve their linguistic knowledge and confidence.

Maybe you are following an evening class or a self-study course and want some extra practice – or perhaps you learned Russian some time ago and need to refresh your language skills. Either way, you will find the *Berlitz Russian Workbook* an enjoyable and painless way to improve your Russian.

How to Use the Workbook

We recommend that you set yourself a consistent weekly, or, if possible, daily study goal – one that you can achieve. The units gradually increase in difficulty and have a continuous storyline, so you will probably want to start at Unit 1.

Each unit focuses on a specific topic or situation: introducing yourself; eating out; travel; leisure activities and many more. Within the unit you will find exercises and word puzzles that build your vocabulary, grammar and communication skills. The exercises vary, but each unit follows the same basic sequence:

Match Game	relatively easy matching exercises that introduce each topic
Talking Point	a variety of exercises based on lively, idiomatic dialogues. Read these dialogues thoroughly, as they introduce the language you will use in the subsequent exercises
Word Power	imaginative vocabulary-building activities and games
Language Focus	specific practice in problem areas of grammar
Reading Corner	challenging comprehension questions based on a short text
Write Here	short writing tasks using key vocabulary and grammar from the previous exercises

We have provided space for you to write the answers into your Workbook if you wish, although you may prefer to write them on a separate sheet of paper.

If you want to check the meaning of a Russian word, the Glossary at the back of the Workbook gives you its English translation. The Reference section offers a handy overview of the essential structures covered in this Workbook, and you can check all of your answers against the Answer Key.

We wish you every success with your studies and hope that you will find the *Berlitz Russian Workbook* not only helpful, but fun as well.

UNIT 1: Nice to meet you!

Unit 1 is about meeting people and introducing yourself. You'll also practice naming things and describing where they are.

Match Game

1. Кто? Что? Где?

Match the questions on the left with the answers on the right.

1. Кто это?	( )	a. Они́ до́ма.
2. Где парк?	( )	b. Э́то Ни́на.
3. Он инжене́р?	( )	c. Она́ здесь.
4. Что это?	( )	d. Да, он инжене́р.
5. Где она́?	( )	e. Э́то дом.
6. Где де́ти?	( )	f. Он там.

Talking Point

2. Меня́ зову́т Джим. А Вас?

A Russian businessman, Oleg Sokolov, meets an American student, Jim Wilson, on the plane to Moscow. Read their conversation and then complete the sentences below, choosing the correct alternative.

Оле́г: (pointing to the seat) Извини́те, э́то ме́сто свобо́дно?

Джим: Да, пожа́луйста. Сади́тесь.

Оле́г: Спаси́бо. Вы говори́те по–ру́сски?

Джим: Да, немно́го. Меня́ зову́т Джим Ви́лсон. А Вас как зову́т?

Оле́г: О́чень прия́тно. Меня́ зову́т Оле́г Никола́евич Соколо́в. Мо́жно про́сто Оле́г.

Джим: О́чень рад. Вы тури́ст?

Оле́г: Нет, я не тури́ст. Я бизнесме́н.

Джим: Как интере́сно! Отку́да Вы?

Оле́г: Я из Москвы́. А Вы?

Джим: Я студе́нт. Я из Бо́стона.

Оле́г: Пра́вда! Краси́вый го́род!

1. Э́то ме́сто _____. (свобо́дно/за́нято)

2. Оле́г _____. (бизнесме́н/тури́ст)

3. Джим говори́т по–ру́сски _____. (хорошо́/немно́го)

4. Джим из _____. (Бо́стона/Ло́ндона)

5. Бо́стон _____ го́род. (ма́ленький/краси́вый)

Word Power

3. Люди и вещи

Ask questions about the pictures and answer them using the words given in the box.

> дом   окно́   письмо́   ру́чка
> врач   кни́га

Example:

Кто э́то? Э́то студе́нт.

Example:

Что э́то? Э́то газе́та.

2. _____

1. _____

3. _____

4. _____

5. _____

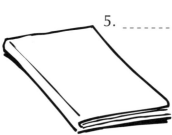

6. _____

4. 1, 2, 3, 4 …(Numerals 1–10)

Match the numbers with the words from the box and write them out.

> шесть во́семь три пять де́вять
> четы́ре оди́н де́сять семь два

1. _____
2. _____
3. _____
4. _____
5. _____

6. _____
7. _____
8. _____
9. _____
10. _____

6

Language Focus

5. Он? Она́? Оно́?

Sort these nouns into masculine, feminine, and neuter and put them in the correct category.

уро́к пе́сня письмо́ ка́сса
ма́льчик автомоби́ль мать
кино́ подру́га со́лнце геро́й
ночь календа́рь ме́сто
земля́ друг страна́ пла́тье

ОН (masculine)   1.   –   *го́род*   -----------------------------------

                  2.   ь   *Кремль*   -----------------------------------

                  3.   й   *трамва́й*   -----------------------------------

ОНА́ (feminine)   4.   а   *Москва́*   -----------------------------------

                  5.   я   *тётя*   -----------------------------------

                  6.   ь   *дочь*   -----------------------------------

ОНО́ (neuter)   7.   о   *окно́*   -----------------------------------

                  8.   е   *мо́ре*   -----------------------------------

6. Вот здесь. Вон там.

Using the words in the box, write questions and answers about where each person or thing is, as in the example.

дом заво́д
магази́н
метро́
ка́сса
шко́ла

Example:

Где Ива́н? Вот здесь.
Где ма́ма? Вон там.

1. --

----

2. --

----

3. --

1.

2.

3.

Reading Corner

7. Познакóмьтесь, э́то Ни́на.

Read Nina's letter to her English penpal and then answer the questions.

1. Как её зовýт?

----

2. Кто онá?

----

3. Скóлько ей лет?

----

4. Откýда Ни́на?

----

5. Ни́на говори́т по-англи́йски?

Здрáвствуй, дорóгой друг!
Меня́ зовýт Ни́на Ивáновна Пáвлова. Мóжно прóсто Ни́на. Мне 29 лет. Я врач. Я говорю́ по-англи́йски немнóго. Я из Москвы́. Вот мой áдрес.
РОССИ́Я
гóрод Москвá
ýлица Тверскáя,
дом 64, квартúра 15.
Телефóн: 465-97-93
Всегó харóшего. Жду отвéта.
До свидáния, Ни́на.

Write Here

8. Анкéта

Jim Wilson has filled out the form below. Can you fill out the similar one about yourself?

Анкéта

Странá: США

Фами́лия: Вилсон

Ѝмя: Джим

Профéссия: студéнт

Áдрес: гóрод Бóстон, ýлица Грин, дом 7, квартúра 3.

Анкéта

Странá: ----------------------

Фами́лия: ----------------------

Ѝмя: ----------------------

Профéссия: ----------------------

Áдрес: ----------------------

UNIT 2: Meet my family!

Unit 2 is about family and friends, and about where people are.

Match Game

1. Questions and answers

Match the questions on the left with the
appropriate answer on the right.

1. Как Вы поживаете? (   ) a. Меня зовут Нина.
2. Как Вас зовут? (   ) b. Я из Москвы
3. Откуда Вы? (   ) c. Спасибо, хорошо.
4. Сколько Вам лет? (   ) d. Скоро 19.
5. Где метро? (   ) e. Она врач.
6. Кто она? (   ) f. Вон там.

Talking Point

2. Вот моя семья.

Oleg is showing a picture of his family to Jim. Read their conversation and fill in the
blanks with the pronouns from the box.

моя́ Ва́ша
её его́ мой
Ва́ши ей ему́
Вас меня́

Олег: (showing the photo) Вот фотография. Посмотрите.
Это _____ семья. Здесь мы все Соколовы.

Джим: (looking at the photo) Это _____ жена?

Олег: Да, это _____ жена. _____ зовут Лариса.

Джим: Очень приятная женщина. Она работает?

Олег: Да, она медсестра. Она работает в поликлинике.

Джим: А это _____ дети?

Олег: Так точно. Это _____ дети: Таня и Иван. Таня учиться в
Университете. _____ 19 лет. А сын ещё в школе, _____ только 12.
А у _____ есть семья?

Джим: Нет, ещё нет. Я не женат. Но у _____ есть родители, брат и сестра.

Олег: Они живут в Бостоне?

Джим: Нет, недалеко от Бостона, в деревне.

9

Word Power

3. Ско́лько Вам лет?

Look at the chart and write out in full how old the members of the Sokolov family are. Follow the example.

Кто	Во́зраст
1. Оте́ц	40
2. Мать	38
3. Дочь	19
4. Сын	12
5. Ба́бушка	59
6. Де́душка	61

1. *Это оте́ц. Ему́ со́рок лет.*

2. _____

3. _____

4. _____

5. _____

6. _____

4. Кто есть кто?

Ivan (on the left at the back) is talking about his family. Read his description and fill in the blanks with the appropriate words from the box.

оте́ц мать семья́ роди́тели ба́бушка де́душка тётя дя́дя сестра́

«Э́то на́ша _____ . Вот мой _____. Оле́г Никола́евич Соколо́в – мой _____, а Лари́са Па́вловна – моя́ _____. Ря́дом сидя́т моя́ _____ Тама́ра Серге́евна и мой _____ Никола́й Миха́йлович. Спра́ва сиди́т моя́ _____ Та́ня. У меня́ ещё есть _____ Ли́да и _____ Бори́с. Но их нет на фотогра́фии. Они́ живу́т в Са́нкт-Петербу́рге.»

Language Focus

5. У Вас есть семья?

Complete the sentences choosing the nominative or genitive case of the nouns given in parentheses.

1. У меня́ есть _____. (семья́/семьи́)
2. У тебя́ нет _____. (жена́/жены́)
3. У него́ нет _____. (мать/ма́тери)
4. У неё нет _____. (муж/му́жа)
5. У Вас есть _____. (брат/бра́та)
6. У нас нет _____. (де́ти/дете́й)
7. У них есть _____. (дочь/до́чери)

6. Кто где рабо́тает?

Conjugate the verb "to work" in the present tense, choosing the correct ending from the box.

1. Я рабо́та_____ в фи́рме «Де́льта».
2. Ты рабо́та_____ в магази́не.
3. Он рабо́та_____ в рестора́не.
4. Она́ рабо́та_____ в поликли́нике.
5. Мы рабо́та_____ в па́рке.
6. Вы рато́та_____ в библиоте́ке
7. Они́ рабо́та_____ в Университе́те.

-ет
-ю
-ем
-ешь
-ют
-ете

7. В or на?

Put the words in the box into the prepositional case and decide whether they take в or на.

у́лица библио́тека стадио́н вокза́л па́рк по́чта рабо́та шко́ла теа́тр заво́д ко́мната магази́н

Reading Corner

8. У Вас есть друзья?

Read Oleg's description of his friend's family and correct any statements below that are false.

«Это семья Холоденко. Они наши друзья. Володя Холоденко мой друг. Мы работаем вместе в фирме «Дельта». Володя – бухгалтер. Его жена Ира не работает. Она домохозяйка. Ира очень хорошая и добрая женщина. В семье трое детей: две девочки и мальчик. Дочери Наташа и Люба – студентки, а сын Артём – школьник. Это очень хорошая и дружная семья.»

1. Володя Холоденко – брат Олега.

----

2. Володя работает на заводе.

----

3. Ира домохозяйка.

----

4. В семье два мальчика и девочка.

----

5. Это хорошая и дружная семья.

Write Here

9. Письмо в Россию

Write a letter to a Russian penpal about yourself and your family. We have started the letter for you.

Здравствуй, дорогой друг!

UNIT 3: What a nice apartment!

Unit 3 is about the home and the things in it. You'll also practice using various question words.

Match Game

1. Где ко́шка?

Match the picture with the appropriate phrase.

a. на сту́ле

b. ме́жду дива́ном и кре́слом

c. под окно́м

d. за дива́ном

e. пе́ред две́рью

f. у телеви́зора

g. в углу́

Talking Point

2. На́ша но́вая кварти́ра

Jim is visiting Oleg's new apartment. Oleg describes the various rooms as he shows him around. Fill in the blanks with the more appropriate alternative.

Оле́г: Здра́вствуте. Входи́те, пожа́йлуста. Вот на́ша _____ (ста́рая/но́вая) кварти́ра.

Джим: Кака́я _____ (плоха́я/хоро́шая) кварти́ра! Вы давно́ здесь живёте?

Оле́г: Да нет, неда́вно. То́лько два го́да. В кварти́ре три ко́мнаты: гости́ная, спа́льня и де́тская. А та́кже ку́хня и ва́нная.

Джим: Мне ка́жется, э́то доста́точно _____ (больша́я/ма́ленькая) кварти́ра.

Оле́г: Ну что, Вы! Э́то _____ (обы́чная/необы́чная) моско́вская кварти́ра. Проходи́те, пожа́луйста, в гости́ную. Сади́тесь.

Джим:	(in the sitting-room) Кака́я _____ (све́тлая/тёмная) ко́мната! Здесь два окна́ и _____ (высо́кий/ни́зкий) потоло́к.
Оле́г:	Да, я о́чень дово́лен кварти́рой. Гости́ная о́чень _____ (удо́бная/неудо́бная) ко́мната. Вам чай, ко́фе?
Джим:	Чай, пожа́луйста.
Оле́г:	С лимо́ном?
Джим:	Нет, с молоко́м, е́сли мо́жно. С лимо́ном э́то _____ (англи́йский/ру́сский) чай.
Оле́г:	Хорошо́. Мину́точку. Я сейча́с.

Word Power

3. Find the word

There are eight things you would expect to find in an apartment hidden in the word square.
Can you find them? One has been done for you.

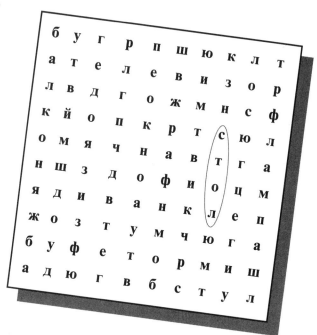

4. Odd man out

Circle the word which doesn't belong to the location.

1. гости́ная: ковёр, кре́сло, дива́н, (ва́нная,) дверь, буфе́т.

2. спа́льня: крова́ть, нож, шкаф, одея́ло, поду́шка, ла́мпа.

3. ку́хня: ло́жка, ви́лка, крова́ть, таре́лка, ча́шка, стака́н.

4. ва́нная: туале́т, мы́ло, шампу́нь, стол, зе́ркало, душ.

5. кабине́т: телефо́н, секрета́рь, ру́чка, душ, каранда́ш, бума́га.

Language Focus

5. Nominative or genitive?

Complete the sentences choosing the correct alternative.

1. В до́ме есть _____ лифт/ли́фта.

2. В кварти́ре нѐт _____ телефо́н/телефо́на.

3. В гости́ной нет _____ телеви́зор/телеви́зора.

4. В гараже́ нет _____ маши́на/маши́ны.

5. В прихо́жей есть _____ ве́шалка/ве́шалки.

6. В ва́нной нет _____ мы́ло/мы́ла.

6. Plurals

Make the nouns plural using the given examples.

Masculine		Feminine		Neuter	
-/ы		**а/ы**		**о/а**	
стол:	*столы*	ла́мпа:	*ла́мпы*	окно́:	*о́кна*
шкаф:	_____	ма́ма:	_____	письмо́:	_____
телеви́зор:	_____	карти́на:	_____		
ь/и		**я/и**		**е/я**	
слова́рь:	*словари́*	ня́ня:	*ня́ни*	мо́ре:	*моря́*
календа́рь:	_____	земля́:	_____	пла́тье:	_____
автомоби́ль:	_____	пе́сня:	_____		
г, к/и		**г, к/и**			
ма́льчик:	*ма́льчики*	кни́га:	*кни́ги*		
стари́к:	_____	де́вочка:	_____		
утю́г:	_____				
ч, щ, ж, ш, х/и		**ь/и**			
нож:	*ножи́*	дверь:	*две́ри*		
каранда́ш:	_____	ночь:	_____		
плащ:	_____				
мяч:	_____				
оре́х:	_____				

7. Where is it?

Fill in the blanks with the appropriate verb from the box.

1. На столе́ _____ кни́га.

2. В углу́ _____ телеви́зор.

3. В прихо́жей _____ пальто́.

4. В ва́зе _____ цветы́.

5. На стене́ _____ фотогра́фии.

6. В столе́ _____ ножи́.

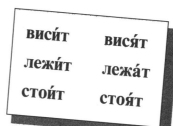

виси́т   вися́т
лежи́т   лежа́т
стои́т   стоя́т

Reading Corner

8. Здесь живёт Та́ня.

Read the description of Tanya's room and then answer the questions.

1. Где живёт Та́ня? _____

2. Кака́я ко́мната у Та́ни? _____

3. Что стои́т у стены́? _____

4. Что лежи́т на полу́? _____

5. Где стои́т пиани́но? _____

6. Кто её люби́мые компози́торы? _____

Э́то Та́ня Соколо́ва. Вы уже́ зна́ете её. Она́ живёт в кварти́ре в Москве́. Вот её ко́мната. Она́ небольша́я, но све́тлая и удо́бная. На полу́ лежи́т ковёр. У окна́ стои́т стол. На столе́ лежа́т кни́ги, бума́ги и но́ты. У стены́ стои́т крова́ть. Напро́тив стои́т шкаф. В шкафу́ вися́т пла́тья, блу́зки, ю́бки и пальто́. Ме́жду шкафо́м и окно́м стои́т пиани́но. Та́ня ча́сто игра́ет на пиани́но. Её люби́мые компози́торы Чайко́вский и Мо́царт.

Write Here

9. Renting an apartment

Jim read this advertisement in the newspaper Санкт-Петербу́рские Ве́домости. He would like to rent the apartment, so he calls to find out the details. Look at the answers he is given, and work out the questions he must have asked.

СДАЁТСЯ: 3-х ко́мнатная кварти́ра. 10-й эта́ж. Ю́жная сторона́. Удо́бства: телефо́н, балко́н. Ку́хня 8кв.м. Ва́нная и туале́т раздѐльные. Опла́та в до́лларах. Телефо́н: 241-58-52

Джим: _____?

Го́лос: Да, э́то но́вая кварти́ра.

Джим: _____?

Го́лос: Коне́чно, лифт есть.

Джим: _____?

Го́лос: К сожале́нию, гаража́ нет.

Джим: _____?

Го́лос: Нет, метро́ недалеко́.

UNIT 4: How do I get to Hotel Cosmos?

Unit 4 is about how to ask for and give directions, and how to ask for permission or inquire about the possibility of doing something.

Match Game

1. Adjectives

Match the adjectives on the left with the most appropriate noun on the right.

1. хоро́шая	( )	a. кре́сло
2. ру́сский	( )	b. лю́ди
3. удо́бное	( )	c. гости́ница
4. интере́сные	( )	d. сувени́р
5. совреме́нное	( )	e. глаза́
6. голубы́е	( )	f. зда́ние

Talking Point

2. Где гости́ница «Ко́смос»?

Jim is asking the way to his hotel. Read his conversation with the policeman and then respond to the statements.

Джим:	Извини́те, скажи́те, пожа́луйста, где гости́ница «Ко́смос»?
Милиционе́р:	Гости́ница «Ко́смос»? Ну́жно е́хать на метро́ и́ли на такси́.
Джим:	Э́то далеко́?
Милиционе́р:	Да, далеко́. Четы́ре остано́вки на метро́, а пото́м переса́дка и ещё три остано́вки. Э́то ста́нция метро́ «Щербако́вская».
Джим:	А Вы не зна́ете, где метро́?
Милиционе́р:	Иди́те пря́мо. Ви́дите, вон там перекрёсток?
Джим:	Да, ви́жу.
Милиционе́р:	Иди́те туда́, пото́м напра́во, пото́м нале́во и опя́ть нале́во. Там метро́. Поня́тно?
Джим:	О́чень сло́жно. Я не понима́ю.
Милиционе́р:	У Вас есть план?
Джим:	Да, есть. Вот он.
Милиционе́р:	(pointing to the map) О́чень хорошо́. Вот мы здесь, а метро́ там. Тепе́рь поня́тно?
Джим:	Да, поня́тно. Спаси́бо большо́е.
Милиционе́р:	Не́ за что.

Это так и́ли не та́к?

1. Гости́ница «Ко́смос» бли́зко. _____

2. В гости́ницу ну́жно е́хать на метро́. _____

3. Джим зна́ет, где метро́. _____

4. В метро́ ну́жно де́лать переса́дку. _____

5. У Джи́ма нет пла́на. _____

Word Power

3. Find the answer

Answer these questions using the phrases from the box.

в шко́ле	на доро́ге	в музе́е	в ка́ссе	на по́чте	в кинотеа́ре

1. Где мо́жно купи́ть биле́ты? _____

2. Где мо́жно посмотре́ть фильм? _____

3. Где мо́жно отпра́вить письмо́? _____

4. Где нельзя́ кури́ть? _____

5. Где нельзя́ фотографи́ровать? _____

6. Где нельзя́ игра́ть? _____

Language Focus

4. Куда́ они́ иду́т?

Look at the picture and complete the sentences using the verbs идти́ or е́хать in the present tense.

1. Врач _____.

2. Рабо́чий _____.

3. Инжене́р _____.

4. Тракторист _____.

5. Кло́ун _____.

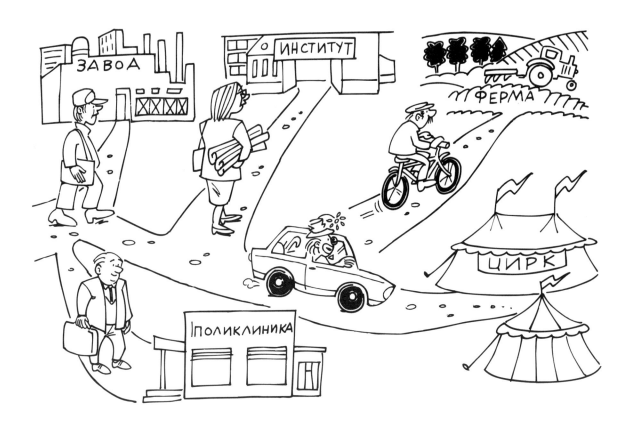

5. Motion or location?

Complete the sentences choosing the accusative or prepositional case of the noun.

1. Джим живёт в _____. Бо́стон/Бо́стоне

2. Та́ня идёт в _____. библиоте́ка/библиоте́ку

3. Оле́г е́дет на _____. рабо́та/рабо́ту

4. Ба́бушка идёт в _____. магази́н/магази́не

5. Он рабо́тает в _____. фи́рма/фи́рме

6. Де́ти гуля́ют в _____. парк/па́рке

6. Где и́ли куда́?

Use the correct question word где? (location) or куда́? (motion)

1. _____ Вы идёте?

2. _____ они́ живу́т?

3. _____ Ива́н у́чится?

4. _____ е́дет Оле́г Никола́евич?

5. _____ идёт ба́бушка?

6. _____ мо́жно купи́ть сувени́ры?

Reading Corner

7. Гости́ница «Ко́смос»

Read the description of the floor layout of Hotel Cosmos and write in the location of the various rooms numbered on the plan.

Сле́ва от вхо́да нахо́дится большо́й рестора́н. Спра́ва от вхо́да нахо́дится небольшо́е ую́тное кафе́. Библиоте́ка нахо́дится ме́жду кафе́ и магази́ном «Берёзка». Телефо́ны нахо́дятся ря́дом с магази́ном. О́коло са́уны нахо́дится спо́ртзал. Позади́ са́уны есть небольшо́й бассе́йн. В углу́ напро́тив рестора́на нахо́дится туале́т. В за́ле стоя́т кре́сла, дива́ны, столы́.

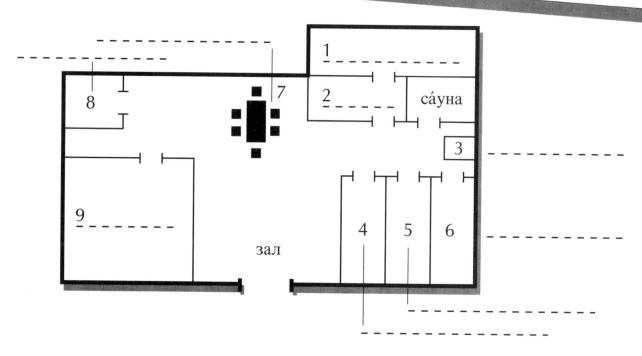

Write Here

8. Куда́ Вы идёте?

Look at the chart and write sentences as in the example.

Кто?	Как?	Куда́?
Я	велосипе́д	Университе́т
оте́ц	маши́на	о́фис
мать	авто́бус	поликли́ника
брат	пешко́м	шко́ла
ба́бушка	пешко́м	магази́н
де́душка	велосипе́д	клуб

Example: *Я е́ду на велосипе́де в Университе́т.*

1. _____
2. _____
3. _____
4. _____
5. _____
6. _____

UNIT 5: We're staying in tonight.

Unit 5 is about daily activities and the time spent doing them. You'll also practice the days of the week.

Match Game

1. Ско́лько вре́мени (Кото́рый час)?

Match the phrases on the left with the time on the right.

1. шесть часо́в
2. че́тверть восьмо́го
3. де́сять мину́т оди́ннадцатого
4. без десяти́ пять
5. без двадцати́ де́вять
6. полови́на четвёртого
7. два часа́

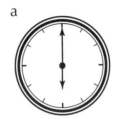
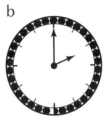

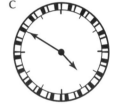
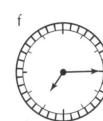

a b d c e f g

Talking Point

2. Что вы де́лаете?

Oleg and his mother are talking on the phone. Read their conversation and fill in the blanks with the appropriate verb from the box.

Оле́г: Алло́? Кто _____?

Ма́ма: Здра́вствуй, Оле́г. Э́то ма́ма. Как вы _____?

Оле́г: Хорошо́, спаси́бо, ма́ма.

Ма́ма: Что вы сейча́с _____?

Оле́г: Мы _____ сейча́с.

Ма́ма: А что _____ де́ти? Они́ до́ма?

Оле́г: Нет, их нет до́ма. Наве́рное, они́ _____ в па́рке.

Ма́ма: Как Лари́са? Она́ до́ма?

Оле́г: Да, до́ма. Она́ сейча́с _____ кни́гу.

пожива́ете говори́т
рабо́таю рабо́таешь
отдыха́ем чита́ет
де́лают де́лаете
прихо́дите гуля́ют

Máма:	Олéг, ты _____ в суббóту?
Олéг:	К сожалéнию, я _____ по суббóтам.
Máма:	Как жаль! Ну, ничегó. _____ в гóсти в воскресéнье.
Олéг:	Спасибо, мáма. Обязáтельно придём.

Word Power

3. Кто что дéлает?

Decide which is the appropriate verb to go with each picture and write sentences following the example.

Example: *Тáня говорит по телефóну.*

1. Отéц _____

2. Мать _____

3. Ивáн _____

4. Бáбушка _____

5. Дéдушка и сосéд _____

4. Мой день

Put Oleg's daily activities in the order in which he would do them. Then write the appropriate 24-hour time next to each activity. We have done the first one for you.

6.30, 6.45, 7.00, 8.15, 9.10, 13.15, 17.50, 18.00, 19.00, 19.40, 21.05, 22.30.

1. Я обе́даю   ☞ *Я встаю полседьмого.* _____

2. Я встаю́ _____

3. Я е́ду на рабо́ту _____

4. Я принима́ю душ _____

5. Я за́втракаю _____

6. Я смотрю́ но́вости по телеви́зору _____

7. Я конча́ю рабо́тать _____

8. Я ложу́сь спать _____

9. Я у́жинаю _____

10. Я начина́ю рабо́тать _____

11. Я чита́ю газе́ты _____

12. Я е́ду домо́й _____

Language Focus

5. Verbs of motion идти́ and ходи́ть

Read the short dialogues and fill in the blanks with the correct form of the verbs идти́ and ходи́ть.

1. Здра́вствуй, Са́ша!

   Здра́вствуй, А́нна!

   Куда́ ты _____?

   Я _____ домо́й.

2. Приве́т, Ви́ктор!

   Приве́т, Андре́й!

   Куда́ ты _____?

   Я _____ в бассе́йн.

   Ты _____ туда́ ка́ждый день?

   Да, _____.

3. До́брый день, Ве́ра Ива́новна.

   До́брый день, Па́вел Петро́вич.

   Куда́ Вы _____?

   Я _____ в парк.

   Вы _____ туда́ пешко́м?

   Да, я люблю́ _____ пешко́м.

6. Question words

Select the appropriate question word from the box to complete the questions, and then give answers about yourself.

где?   как?
кака́я?   когда́?
куда́?   ско́лько?
что?

1. _____ Вас зовут? _____
2. _____ Вам лет? _____
3. _____ Вы живёте? _____
4. _____ начинается Ваша работа? _____
5. _____ Вы обычно делаете в субботу? _____
6. _____ Вы обычно ходите в воскресенье? _____
7. _____ у Вас квартира? _____

Reading Corner

7. У меня нет времени.

Oleg has a lot to do. He is writing a letter to his friend Boris complaining how busy he is. Read his letter and fill in the blanks with the appropriate prepositions from the box.

в	за	на	над
от	по	после	с у

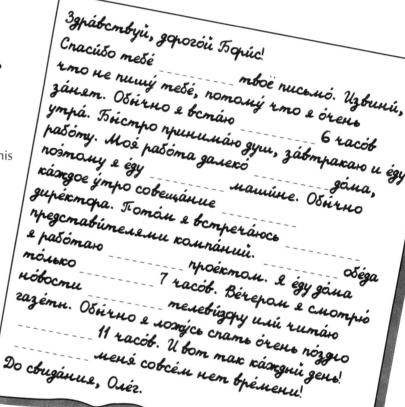

Здравствуй, дорогой Борис!
Спасибо тебе _____ твоё письмо. Извини, что не пишу тебе, потому что я очень занят. Обычно я встаю _____ 6 часов утра. Быстро принимаю душ, завтракаю и еду _____ работу. Моя работа далеко _____ дома, поэтому я еду _____ машине. Обычно каждое утро совещание _____ директора. Потом я встречаюсь _____ представителями компаний. Я работаю _____ обеда только _____ проектом. Я еду дома _____ 7 часов. Вечером я смотрю новости _____ телевизору или читаю газеты. Обычно я ложусь спать очень поздно _____ 11 часов. И вот так каждый день! _____ меня совсем нет времени!
До свидания, Олег.

Write Here

7. Мой обычный день

Write out your own diary page for a typical day. These questions will help you.

Вы встаёте? *Я встаю в семь часов и принимаю душ.*

Вы завтракаете? _____

Как Вы едете на работу? _____

Работа начинается? _____

Где Вы обедаете? _____

Когда Вы ходите в магазин? _____

Что Вы делаете вечером? _____

Когда Вы ложитесь спать? _____

UNIT 6: *Do you like Russian?*

Unit 6 is about likes and dislikes, preferences and hobbies.

Match Game

1. Find the opposite

Match the adjectives to their opposites. One has been done for you.

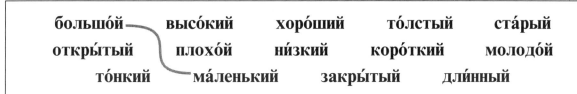

большой —— высокий   хороший   толстый   старый

открытый   плохой   низкий   короткий   молодой

тонкий   маленький   закрытый   длинный

Talking Point

2. Я люблю русский язык.

While in Moscow, Jim meets Anna, who is also on a visit to Russia. They are talking about the difficulties of the Russian language. Read their conversation and then respond to the statements.

Анна: Добрый день!

Джим: (surprised) Добрый день! Вы говорите по-русски!? Какая приятная неожиданность!

Анна: Да, мне очень нравится русский язык. Я хочу говорить по-русски хорошо.

Джим: Сколько лет Вы изучаете русский язык?

Анна: Только два года. Я люблю русскую литературу. Особенно мне нравятся романы Достоевского. А Вы?

Джим: Я предпочитаю поэзию, но русские стихи слишком сложные.

Анна: Я советую Вам больше слушать русское радио и смотреть телевизор. Это очень помогает понимать русский язык.

Джим: Я не люблю смотреть телевизор или слушать радио, потому что я ничего не понимаю. Там говорят слишком быстро!

Анна: Ну, ничего. Просто нужно время и практика.

Джим: А Вы давно в Москве?

Áнна:	Да, скóро год.
Джим:	Вы лю́бите Москву́?
Áнна:	Нет, не óчень. Óчень большóй и шу́мный гóрод. Я предпочита́ю дере́вню. Там ти́хо и спокóйно.

Э́то так и́ли не так?

1. Áнна лю́бит ру́сский язы́к. ---------------------------------

2. Онá лю́бит ромáны Толстóго. ---------------------------------

3. Ру́сские стихи́ сли́шком слóжные. ---------------------------------

4. Джим не лю́бит смотре́ть телеви́зор. ---------------------------------

5. Áнна óчень лю́бит Москву́. ---------------------------------

Word Power

3. Hobbies

Look at the pictures and write sentences describing what these people enjoy doing. Follow the example.

Example: *Борис лю́бит игра́ть на гита́ре.*

1. Оле́г Никола́евич ---------------------------------

2. Иван ---------------------------------

3. Вади́м ---------------------------------

4. Лари́са Пáвловна ---------------------------------

5. Тáня ---------------------------------

6. Све́та ---------------------------------

4. Кто что лю́бит?

Look at the chart and write sentences, as in the example, about what food and drink these people like or don't like.

Кто?	Что лю́бит?	Что не лю́бит?
Та́ня	конфе́ты	во́дка
Артём	пи́во	шампа́нское
Лари́са	чай	ко́фе
Ива́н	моро́женое	молоко́
Тама́ра	ры́ба	мя́со
Никола́й	во́дка	моро́женое

Example: *Та́ня лю́бит конфе́ты.*
Она́ не лю́бит во́дку.

1. _____

2. _____

3. _____

4. _____

5. _____

Language Focus

5. Вам нра́вится?

Put the pronouns given in parentheses in the dative case and then give your own answers to the questions.

1. (Я) _____ нра́вится ру́сский язы́к? _____

2. (Ты) _____ нра́вится му́зыка Чайко́вского? _____

3. (Он) _____ нра́вится игра́ть в футбо́л? _____

4. (Она́) _____ нра́вятся ру́сские пе́сни? _____

5. (Мы) _____ нра́вится гуля́ть в па́рке? _____

6. (Вы) _____ нра́вятся ру́сские стихи́? _____

7. (Они́) _____ нра́вится А́нглия? _____

6. Хоти́те ко́фе?

Complete the dialogues, giving the reason for your answer, as in the example.

Example: Хоти́те во́дку?

Нет, спаси́бо, не хочу́, *потому́ что я не люблю́ во́дку.*

1. Хоти́те чай и́ли ко́фе?
   Чай, пожа́луйста, потому́ что _____.

2. Хоти́те пойти́ на о́перу?
   Нет, спаси́бо, не хочу́, потому́ что _____.

3. Хоти́те танцева́ть?
   Нет, спаси́бо, не хочу́, потому́ что _____.

4. Хоти́те послу́шать рок-му́зыку?
   Нет, спаси́бо, не хочу́, потому́ что _____.

Reading Corner

7. Я люблю́ Москву́.

Tanya is telling us about her native city of Moscow.
Read the text and fill in the blanks with the
appropriate form of the adjectives given in the box.

> большо́й до́брый дорого́й
> зелёный кра́сный культу́рный
> полити́ческий родно́й широ́кий
> шу́мный экономи́ческий

Москва́ – столи́ца Росси́и. Э́то _____, _____, и _____ центр. В Москве́ _____ у́личное движе́ние, поэ́тому э́то _____ го́род. Но я о́чень люблю́ Москву́, потому́ что э́то мой _____ го́род. Я люблю́ Кра́сную Пло́щадь, _____ у́лицы и бульва́ры, _____ па́рки и скве́ры. В _____ вре́мя я люблю́ гуля́ть в па́рке Го́рького и́ли ката́ться на ка́тере по Москве́-реке́. Ве́чером я люблю́ смотре́ть как сия́ют _____ звёзды Кремля́. А у́тром я люблю́ наблюда́ть как просыпа́ется Москва́.

До́брое у́тро, моя́ _____ Москва!

_____ у́тро, мои́ дороги́е москвичи́!

Write Here

> Я   Моя́ ма́ма
> Мой па́па   Мой брат/моя́ сестра́
> Мой сын/моя́ дочь
> Мой друг/моя́ подру́га

8. В свобо́дное вре́мя

Write what the members of your family like to
do on the weekend, using some of the words from the box to help you.

Example: *Мой брат лю́бит игра́ть в футбо́л.* _____

_____

_____

_____

_____

UNIT 7: How much is this?

Unit 7 is about shopping, asking for various goods, clothing sizes, and prices.

Match Game

1. Какóго цвéта?

Rearrange the letters on the right and match the items to their colors.

1. травá	( )	a. ыбéлй
2. лимóн	( )	b. ёрчынй
3. снег	( )	c. лезнёая
4. ýголь	( )	d. óлбугое
5. нéбо	( )	e. скáрйны
6. помидóр	( )	f. ырéсй
7. слон	( )	g. лытйжё

Talking Point

2. Что купúть мáме?

It will soon be Tanya's mother's birthday, and Tanya is shopping for a present with her friend Vera. Read their conversation and then answer the questions.

Тáня: Скóро день рождéния мáмы. Нáдо купúть ей подáрок.

Вéра: Что ты хóчешь купúть мáме?

Тáня: Я дýмаю купúть ей красúвую мóдную блýзку. Мáма лю́бит красúво одевáться.

Вéра: Хорошó. Кудá мы пойдём?

Тáня: Сначáла пойдём в универмáг, а потóм в магазúн «Жéнская одéжда».

Вéра: (in the department store) Тáня, посмотрú, какáя красúвая блýзка!

Тáня: Да, óчень красúвая. Но мáма не нóсит я́ркие цветá. Онá предпочитáет свéтлые тонá. И потóм, посмотрú, скóлько стóит!

Вéра: Сто пятдеся́т ты́сяч рублéй! Так дóрого! Мóжет быть, пойдём в другóй магазúн?

Продавéц: (in the next shop) Дóбрый день! Что Вы хотúте?

Тáня: Я хочý купúть красúвую блýзку.

Продавец:	Для Вас?
Таня:	Нет, для ма́мы в пода́рок на день рожде́ния.
Продавец:	Како́го цве́та? Дорогу́ю и́ли дешёвую?
Таня:	Голубу́ю и́ли бе́лую, и не о́чень дорогу́ю.
Продавец:	Како́й разме́р?
Таня:	Я то́чно не зна́ю. Ду́маю, что 42.
Продавец:	Посмотри́те вот э́ту. Нра́вится?
Таня:	О́чень! Спаси́бо большо́е!
Продавец:	Е́сли не тот разме́р, то мо́жно поменя́ть. С Вас 80 ты́сяч рубле́й. Плати́те в ка́ссу № 2.

1. Кому́ на́до купи́ть пода́рок? ---

2. Каки́е тона́ ма́ма лю́бит? ---

3. Почему́ Та́ня не купи́ла блу́зку в Универма́ге? -----------------------------

4. Каку́ю блу́зку Та́ня хо́чет купи́ть? --------------------------------

5. Ско́лько сто́ит блу́зка? ---

Word Power

3. Find the clothes

Rearrange the letters and write the article of clothing.

1. тпа́леь	-------------	6. ру́ткак	-------------	
2. льпао́т	-------------	7. фиу́лт	-------------	
3. юкостм	-------------	8. пкаша́	-------------	
4. ю́брик	-------------	9. рси́тев	-------------	
5. ба́шруак	-------------	10. а́ршф	-------------	

4. Ско́лько сто́ит?

Write out these prices in full. Notice that Russian does not use a comma for thousands.

1. 250 руб.	-------------	6. 71 000 руб.	-------------
2. 500 руб.	-------------	7. 134 000 руб.	-------------
3. 2000 руб.	-------------	8. 356 000 руб.	-------------
4. 12 000 руб.	-------------	9. 490 000 руб.	-------------
5. 23 000 руб.	-------------	10. 1 000 000 руб.	-------------

Language Focus

5. What kind of …?

Choose the correct question word какой? какая? какое? какие?
and answer the questions using a suitable adjective from
the box in its correct form.

зимний	летний	шерстяной
шёлковый	кожаный	
вечерний	модный	

1. _____ это платье? _____

2. _____ это пальто? _____

3. _____ это костюм? _____

4. _____ это брюки? _____

5. _____ это туфли? _____

6. _____ это шарф? _____

7. _____ это сумка? _____

6. Русский сувенир

Jim has bought Russian souvenirs
for his family and his friends.
Look at the picture and write
suitable questions. Answer them
using the accusative and the dative
case of the nouns, as in the example.

Example: *Кому он купил самовар? Маме.* _____

1. _____

2. _____

3. _____

4. _____

Reading Corner

7. Реклама

Read the advertisement from the newspaper Российская газета and answer the questions below.

1. Как называется фирма?

----

2. Где находится фирма "Грани"?

----

3. Фирма реализует импортные товары?

----

4. Какие товары продаёт фирма?

----

5. Какие специалисты требуются?

ФИРМА "ГРАНИ"
реализует оптом со склада в Москве импортные товары:
- обувь мужскую, женскую, спортивную
- костюмы мужские
- куртки пуховые
- парфюмерию
Предприятие приглашает к сотрудничеству специалистов по торгово-коммерческой деятельности.
Телефоны: (095) 241-88-47, 241-17-59

Write Here

8. Shopping questions

Write the questions to these answers.

1. ---

Да, есть. У нас есть матрёшки и другие русские сувениры.

2. ---

Самовар стоит 150 (сто пятьдесят) тысяч рублей.

3. ---

Красное платье, пожалуйста.

4. ---

Мой размер 40 (сорок).

5. ---

Платите в кассу, пожалуйста.

UNIT 8: *Did you have a good weekend?*

Unit 8 is about things which happened in the past and also about weekend activities.

Match Game

1. Questions and answers in the past

Match the questions on the left with the most appropriate answer on the right.

1. Ты смотре́л футбо́л в воскресе́нье?	( )	a.	Он смотре́л телеви́зор.	
2. Куда́ ты ходи́ла вчера́?	( )	b.	Нет, ка́сса была́ закры́та.	
3. Вы купи́ли биле́ты?	( )	c.	Ра́ньше они́ жи́ли в Москве́.	
4. Кого́ Вы ви́дели у́тром?	( )	d.	Нет, но я чита́л Достое́вского.	
5. Где они́ жи́ли ра́ньше?	( )	e.	У́тром я ви́дела Ни́ну.	
6. Что де́лал Андре́й ве́чером?	( )	f.	Нет, не смотре́л, я был за́нят.	
7. Вы чита́ли Толсто́го?	( )	g.	Я ходи́ла в кино́.	

Talking Point

2. Выходны́е дни

Jim is talking on the phone with his Russian friend Andrei about how he spent his weekend. Read their conversation and fill in the blanks with the past tense of the verbs given in parentheses.

Андре́й: Алло́? Приве́т, Джим. Как пожива́ешь? Как ты _____ (провести́) выходны́е дни?

Джим: Спаси́бо, непло́хо. В суббо́ту, как обы́чно, _____ (ходи́ть) в библиоте́ку и _____ (рабо́тать) там до 5 часо́в.

Андре́й: А что ты _____ (де́лать) в суббо́ту ве́чером? Я _____ (звони́ть), но тебя́ не _____ (быть) до́ма.

Джим: Я _____ (ходи́ть) на дискоте́ку в Университе́тское кафе́.

Андре́й: Ну и как, понра́вилось? Кого́ ты там _____ (встре́тить)?

Джим: Я _____ (ви́деть) Артёма и Та́ню. Мы мно́го _____ (танцева́ть) и _____ (смея́ться). В о́бщем, _____ (быть) ве́село.

Андре́й: А где ты _____ (быть) в воскресе́нье?

Джим: Друзья́ _____ (пригласи́ть) меня́ за́город ката́ться на лы́жах.

Андре́й: Вы _____ (е́здить) на маши́не и́ли на электри́чке?

Джим: На электри́чке, коне́чно. Мы отли́чно _____ (провести́) вре́мя! Андре́й, а что ты _____ (де́лать) в выходны́е дни?

Андре́й: Ничего́ осо́бенного. Я _____ (быть) до́ма, никуда́ не _____ (ходи́ть). В суббо́ту _____ (смотре́ть) телеви́зор, а в воскресе́нье _____ (писа́ть) письмо́ ма́ме. Пото́м _____ (позвони́ть) Ната́ша и мы _____ (гуля́ть) в па́рке.

Word Power

3. Find a word

Use the pictures to complete the crossword puzzle. The center column will tell you where Jim spent his weekend.

1. Ива́н игра́л в

4. Лари́са писа́ла

2. Оле́г е́здил на

5. Бори́с чита́л

3. Ба́бушка вяза́ла

7. Арте́м игра́л в

6. Та́ня ходи́ла в

Language Focus

4. The past tense

Replace the present tense by the past tense using the correct forms of the verb быть (был, была́, бы́ло, бы́ли) as in the example.

Example: У меня́ есть соба́ка. *У меня́ была́ соба́ка.*

1. У него́ есть велосипе́д.

2. У нас есть друзья́.

3. У неё есть писмо́.

4. У Вас есть да́ча?

5. У них есть де́ти.

6. У тебя́ есть биле́т?

5. Где? Куда́?

Read the short dialogues and fill in the blanks, choosing the past form of the verbs быть or ходи́ть, as in the examples.

Examples: А. Где Вы *бы́ли* вчера́? В. Куда́ Вы *ходи́ли* вчера́?
Я *был* до́ма. Я *ходи́л* в библиоте́ку.

1. Где студе́нты _____ в суббо́ту? 2. Где Джим _____ в воскресе́нье?
   Они́ _____ на дискоте́ке. Он _____ в бассе́йн.
3. Куда́ Андре́й _____ вчера́ ве́чером? 4. Куда́ Та́ня _____ в воскресе́нье?
   Он _____ в кино́. Она́ _____ в музе́й.

6. Кого́ ты ви́дел?

Answer these questions using the nouns given in parentheses. Remember to use the accusative case for animate nouns.

Example: Кого́ ты ви́дел на дискоте́ке? (Ни́на). *Я ви́дел Ни́ну.*

1. Кого́ ты встре́тил вчера́? (друг)

2. Кого́ он зна́ет хорошо́? (брат)

3. Кого́ учи́тель спра́шивает? (студе́нт)

4. Кого́ Вы ждёте? (подру́га)

5. Кого́ она́ давно́ не ви́дела? (сестра́)

Reading Corner

7. Третьяковская Галере́я

On Sunday Tanya went to the Tretyakov, Moscow's famous art gallery. Complete this excerpt from her diary using the past tense of the verbs given.

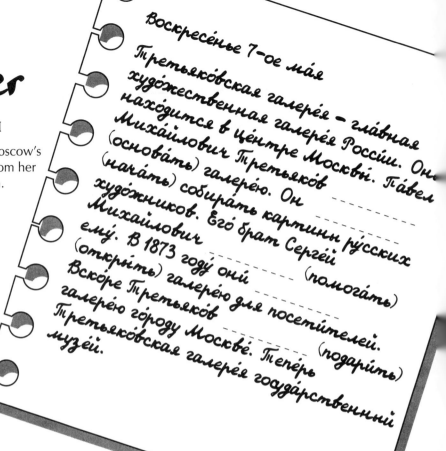

Воскресе́нье 7-ое ма́я

Третьяко́вская галере́я — гла́вная художественная галере́я Росси́и. Она́ нахо́дится в це́нтре Москвы́. Па́вел Михайлович Третьяко́в ––––––––– (основа́ть) галере́ю. Он ––––––––– (нача́ть) собира́ть карти́ны ру́сских худо́жников. Его́ брат Серге́й Михайлович ––––––––– (помога́ть) ему́. В 1873 году́ они́ ––––––––– (откры́ть) галере́ю для посети́телей. Вско́ре Третьяко́в ––––––––– (подари́ть) галере́ю го́роду Москве́. Тепе́рь Третьяко́вская галере́я госуда́рственный музе́й.

Write Here

8. My weekend

Complete the sentences describing what you did last weekend. One has been completed for you as an example.

1. В суббо́ту у́тром   *Я рабо́тал в саду́.* –––––––––––––––––

2. В суббо́ту днём   ––––––––––––––––––––––––––––– .

3. В суббо́ту ве́чером   ––––––––––––––––––––––––––––– .

4. В воскресе́нье у́тром   ––––––––––––––––––––––––––––– .

5. В воскресе́нье днём   ––––––––––––––––––––––––––––– .

6. В воскресе́нье ве́чером   ––––––––––––––––––––––––––––– .

UNIT 9: What are your plans for tomorrow?

Unit 9 is about plans and expectations and things that will happen in the future.

Match Game

1. Ва́ши пла́ны?

Match each question on the left with the most appropriate answer on the right.

1. За́втра у нас бу́дет экску́рсия? ( )
2. Что Вы бу́дете де́лать в воскресе́нье? ( )
3. Когда́ бу́дут кани́кулы? ( )
4. В суббо́ту в клу́бе бу́дет дискоте́ка? ( )
5. Ты бу́дешь рабо́тать в суббо́ту? ( )
6. Кто бу́дет гуля́ть с соба́кой? ( )

a. К сожале́нию, бу́ду.
b. Кани́кулы бу́дут ско́ро.
c. Я бу́ду. Я люблю́ соба́к.
d. Я бу́ду рабо́тать в саду́.
e. Да, экску́рсия бу́дет в 10 часо́в.
f. Нет, дискоте́ка бу́дет в пя́тницу.

Talking Point

2. Ско́ро кани́кулы!

Tanya and Andrei are discussing their summer vacation. Read the conversation and fill in the blanks with the future form of the verbs given in parentheses.

Та́ня: Ско́ро ле́тние кани́кулы. Куда́ мы _____ (пое́хать)?

Андре́й: Дава́й _____ (посмотре́ть) объявле́ния в газе́те. Я ду́маю, что надо пое́хать где тепло́.

Та́ня: Мо́жет быть, на юг и́ли на Кавка́з? Там мы _____ (загора́ть) и _____ (купа́ться) в мо́ре. Я о́чень люблю́ пла́вать!

Андре́й: (looking in the newspaper) Вот посмотри́! Это интере́сное объявле́ние. (reading an advertisement) «Дом о́тдыха «Ча́йка» предлага́ет о́тдых у мо́ря, две неде́ли. Прекра́сная гости́ница, хоро́шая ку́хня, разли́чные экску́рсии. Сто́имость …!» Ну нет, э́то сли́шком до́рого для нас!

Та́ня:	Да, э́то о́чень до́рого. Я ду́маю, что лу́чше останови́ться в ке́мпинге. Э́то дёшево и удо́бно.
Андре́й:	Хоро́шая иде́я! Мы _____ (жить) в пала́тке. У́тром мы _____ (встава́ть) и _____ (бе́гать) к мо́рю. Фанта́стика! А где мы _____ (обе́дать)?
Та́ня:	Я _____ (гото́вить), а ты _____ (помога́ть) мыть посу́ду. Договори́лись?
Андре́й:	Договори́лись! А что мы _____ (де́лать) ве́чером?
Та́ня:	Ве́чером мы _____ (гуля́ть) по на́бережной и́ли _____ (танцева́ть) на дискоте́ке. О́чень _____ (быть) ве́село!

Word Power

3. Тра́нспорт

Find five means of transportation in this puzzle. The letter "O" in the middle will help you.

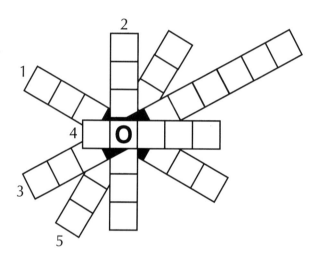

Language Focus

4. The future tense (compound form)

Fill in the blanks using a correct verb from the box and then answer the questions.

> бу́ду бу́дешь бу́дет бу́дем
> бу́дете бу́дут

1. За́втра _____ экску́рсия в Эрмита́ж? _____

2. Вы _____ чай и́ли ко́фе? _____

3. Преподава́тель _____ расска́зывать о Росси́и? _____

4. Ива́н, ты _____ суп? _____

5. Когда́ мы _____ смотре́ть футбо́л по телеви́зору? _____

6. Когда́ студе́нты _____ сдава́ть экза́мены? _____

5. Verbs of motion (future tense)

Complete the tables with the present and future forms of the verbs идти/пойти and ехать/поехать.

Present		Future	
я иду́			я пойду́
он _____		он пойдёт	
Вы идёте			
я _____		Вы _____	
они́ е́дут		я пое́ду	
она́ _____		они́ _____	
мы е́дем		она́ пое́дет	
		мы _____	

6. The instrumental singular

Complete the sentences using the nouns given in parentheses in the instrumental case.

1. Оле́г пое́дет на юг с _____(жена).

2. Я люблю́ гуля́ть в па́рке с _____(соба́ка).

3. Та́ня пойдёт в кино́ с _____(друг).

4. Мы пое́дем на экску́рсию с _____(учи́тель).

5. Джим лю́бит чай с _____(молоко́).

6. Он ест суп с _____(хлеб).

Reading Corner

7. Ско́ро ле́то!

Read the text to find out what the Sokolovs will be doing on their summer vacation and then respond to the statements that follow.

Ско́ро ле́то! Ле́том все е́дут отдыха́ть. Соколо́вы то́же бу́дут отдыха́ть. Оле́г и Лари́са пое́дут на юг. Там Чёрное мо́ре и пляж. Оле́г о́чень лю́бит пла́вать и загора́ть, поэ́тому он бу́дет ходи́ть на мо́ре ка́ждый день. Лари́са не бу́дет загора́ть, потому́ что это вре́дно, но она́ бу́дет мно́го купа́ться в мо́ре. Ве́чером они́ бу́дут гуля́ть по на́бережной, пото́м в кафе́ они́ бу́дут танцева́ть весь ве́чер.

А что бу́дут де́лать ба́бушка и де́душка? Ле́том они́ бу́дут жить на да́че в дере́вне. Там большо́й лес и краси́вое о́зеро. Они́ ча́сто бу́дут ходи́ть в лес собира́ть грибы́ и я́годы. Ива́н то́же пое́дет на да́чу. Он бу́дет лови́ть ры́бу в о́зере и ката́ться на велосипе́де.

Это так и́ли не так?

1. Оле́г и Лари́са пое́дут на юг. ---

2. Оле́г не лю́бит пла́вать. ---

3. Лари́са бу́дет мно́го загора́ть. ---

4. Ве́чером они́ бу́дут гуля́ть по на́бережной. ---

5. Ба́бушка и де́душка то́же пое́дут на юг. ---

6. Ива́н бу́дет ката́ться на велосипе́де. ---

Write Here

8. What are your plans for the summer?

Look at the table and write sentences to say how each person will spend the summer vacation.

Кто	Куда́ пое́дет	С кем	Что бу́дут де́лать
Ни́на	юг	сестра́	купа́ться и загора́ть
Анто́н	спортлагерь	друг	игра́ть в те́ннис
Та́ня	Кавка́з	Андре́й	ходи́ть в го́ры
Ли́да	дере́вня	сын	собира́ть я́годы
Бори́с	да́ча	жена́	рабо́тать в саду́
Я	?	?	?

Example: *Ни́на пое́дет на юг с сестро́й. Там они́ бу́дут* --------------------
купа́ться и загора́ть. ---

1. --

2. --

3. --

4. --

5. --

UNIT 10: Are you ready to order?

Unit 10 is about eating out, ordering, and shopping, and also about weights and measures.

Match Game

1. Какóй магазúн?

Match the two halves of these signs to find out the names of the stores.

1. РЫ	
2. МОЛ	ЧНАЯ
3. БУЛО	РУКТЫ
4. ОВОЩИ И Ф	ТЕРСКАЯ
5. КОНДИ	ОКО
6. ЦВЕ	БА
	ТЫ

Talking Point

2. Что бýдете закáзывать?

Jim and Natasha are eating out tonight. They are looking for somewhere to have their meal. Read their conversation and then respond to the statements.

Джим: Я хочý есть. Ты не знáешь, где здесь мóжно пообéдать?

Натáша: Недалекó есть неплохóй ресторáн. Пойдём тудá. (by the restaurant door) Как жаль! Ресторáн закрыт. Тогдá пойдём в кафé. Тут рядом. Там хорошó готóвят и не так дóрого.

Джим: (in the café) Как мнóго нарóду! (looking for a seat) Извинúте, здесь зáнято?

Официáнт: Нет, свобóдно. Садúтесь, пожáлуйста.

Джим: Спасúбо. Мóжно меню́?

Официáнт: Вот меню́, пожáлуйста. Что бýдете закáзывать?

Джим: Какúе закýски у вас сегóдня?

Официáнт: Салáт овощнóй, салáт мяснóй, икрá, осетрúна...

Натáша: Я, пожáлуй, возьмý овощнóй салáт.

Джим: А я осетрúну.

Официáнт: Хотúте суп? У нас есть щи, борщ, ухá, овощнóй суп...

Джим: Я бýду борщ. Я люблю́ украúнский борщ.

Натáша: Нет, я пéрвое не хочý. Что у вас есть на вторóе? Говорят, здесь хорошó готóвят рыбные блюдá. Мне судáк, пожáлуйста. А ты что бýдешь?

Джим:	У вас есть шашлы́к? Тогда́ мне шашлы́к, пожа́луйста. Я о́чень люблю́ шашлы́к.
Официа́нт:	Хорошо́. Десе́рт бу́дете зака́зывать?
Ната́ша:	Мне моро́женое и пото́м ко́фе.
Джим:	А мне шокола́дное пиро́женое и то́же ко́фе, пожа́луйста.
Официа́нт:	Хорошо́. Что бу́дете пить?
Джим:	У вас есть минера́льная вода́? Две буты́лки, пожа́луйста.
Официа́нт:	Э́то всё? Вот счёт. С вас 17 300 рубле́й.
Джим:	Спаси́бо. Вот 20 ты́сяч.
Официа́нт:	Пожа́луйста. Вот сда́ча. Прия́тного аппети́та!

Э́то так и́ли не так?

1. Джим хо́чет есть. --

2. Рестора́н откры́т. --

3. В кафе́ пло́хо гото́вят и о́чень до́рого. --

4. Ната́ша хо́чет борщ. --

5. Джим лю́бит шашлы́к. --

6. Они́ бу́дут пить вино́. --

Word Power

3. Да́йте, пожа́луйста...

The rain has ruined Tanya's grocery list. Can you work out what she needs to buy?

бу☐☐нка хле́ба ба́нка вар☐☐ья
1 литр мо☐☐ка́ пл☐тка шокола́да
250 гр. ма́сл☐   б☐☐ы́лка вина́
1 бу☐☐лка лимона́да   2 кг. карто́☐ки
1 па́ч☐☐ ча́я   1 кг. к☐☐у́сты
200 гр. сы́ра   полкило́ морк☐☐и

200гр
коро́бка
па́чка
буха́нка
литр
буты́лка
ба́нка

4. У вас есть...?

Match items below with quantities on the left, putting the items into the genitive case.

Example: 200 гр. сы́ра

------------------------   ------------------------
------------------------   ------------------------
------------------------   ------------------------

сыр	**конфе́ты**	**хлеб**	**чай**	**мёд**
	минера́льная вода́		**вино́**	

Language Focus

5. Оди́н/одна́? Два/две?

Write out in words the numbers in parentheses, using the correct form of the number.

1. Да́йте мне _____(1) лимо́н и _____(2) па́чки ма́сла.

2. Ско́лько сто́ят _____(1) ба́нка ко́фе и _____(1) буты́лка лимона́да?

3. Да́йте, пожа́луйста, _____(2) буты́лки молока́ и _____(2) кефи́ра.

4. Вот Вам _____(1) ба́нка варе́нья, _____(1) па́чка пече́нья и _____(1) кусо́к сы́ра.

5. Мне на́до купи́ть _____(1) килогра́мм мя́са и _____(2) килогра́мма ры́бы.

6. Ни́не на́до купи́ть _____(1) торт, _____(2) пли́тки шокола́да и _____(2) буты́лки вина́.

6. Genitive singular with nouns of quantity

Fill in the blanks with the correct ending of the nouns.

1. литр молок _____.
2. пли́тка шокола́д _____.
3. буты́лка вод _____.
4. па́чка ма́сл _____.
5. ба́нка варе́нь _____.
6. ба́нка ры́б _____.
7. килогра́мм мя́с _____.
8. полкило́ сы́р _____.
9. буха́нка хле́б _____.
10. па́чка пече́нь _____.

Reading Corner

7. Фи́рма предлага́ет...

Read this advertisement placed by the company ИНТРАНС to find out what kind of goods they supply and then answer the questions.

1. Что тако́е ИНТРАНС?

_____

2. Каки́е поста́вки осуществля́ет фи́рма?

_____

3. Кака́я респу́блика произво́дит консе́рвы?

_____

4. Каки́е консе́рвы предлага́ет фи́рма?

_____

Акционе́рное о́бщество "ИНТРАНС" осуществля́ет поста́вки: лу́чших сорто́в апельси́ны «WASHINGTON navels», лимо́ны «GREEK lemons». предлага́ем консе́рвы произво́дства респу́блики Молдо́ва: повидло, джемы, тома́ты, заку́ски, сала́ты, зелёный горо́шек, де́тское пита́ние. Ги́бкие усло́вия платежа́ и поста́вки. Отгру́зка желе́знодоро́жным и́ли автотра́нспортом. Телефо́н: (095) 924-09-29ю Факс: (095) 921-30-58.

5. Какие условия платежа и поставки?

----

6. Какой транспорт фирма использует для отгрузки?

 # Write Here

8. Завтрак, обед, ужин

Here's the kind of food the Sokolovs usually have for breakfast, lunch, and dinner. Make up sentences as in the example.

	Завтрак	Обед	Ужин
Олег	2 яйца, кофе, хлеб с маслом	салат, щи, мясо, овощи	рыба с картошкой, чай
Лариса	каша, чай	салат овощной, омлет, сок	пирог с грибами, чай
Таня	бутерброд с сыром, кофе	пицца, яблоко, сок	пирог с грибами, кофе
Иван	яичница, кофе, бутерброд с колбасой	гамбургер, чипсы, кофе	рыба с картошкой, чай, печенье

Example: *Олег на завтрак ест два яйца, хлеб с маслом и пьёт кофе. На обед он ест салат, щи, мясо и овощи. На ужин он ест рыбу с картошкой и пьёт чай.*

Лариса

Таня

Иван

UNIT 11 : Which is your favorite team?

Unit 11 is about sporting activities, the things you are good at, and the things you can't do.

Match Game

1. Verbs

Match each verb to the most appropriate phrase.

1. болеть   ( )
2. делать   ( )
3. заниматься   ( )
4. играть   ( )
5. кататься   ( )
6. участвовать   ( )
7. плавать   ( )
8. стать   ( )
9. ходить   ( )

a. на лыжах
b. спортом
c. футболистом
d. в соревнованиях
e. за «Динамо»
f. в теннис
g. в поход
h. в бассейне
i. зарядку

Talking Point

2. Наша семья любит спорт.

Oleg and Jim are talking about sports. Read their conversation and then answer the questions.

Джим: Олег, это правда, что ты мастер спорта по плаванию?

Олег: Правда. Я начал заниматься плаванием давно, когда я был ещё студентом.

Джим: Как интересно! А у вас в семье все любят спорт?

Олег: Да, в нашей семье все занимаются спортом. Моя жена любит кататься на лыжах. Дочь Таня увлекается гимнастикой, а сын Иван мечтает стать футболистом.

Джим: Да... Я вижу у вас спортивная семья. Кстати, ты будешь смотреть футбол по телевизору сегодня вечером?

Олег: Во сколько начинается передача?

Джим: В восемь часов. Играют «Зенит» и «Спартак». За кого ты болеешь? Я болею за «Зенит».

Олег:	Вот здóрово! Мы с Ивáном тóже болéем за «Зенúт»! К сожалéнию, сегóдня вéчером я не могý. Я идý в бассéйн. Я хожý тудá кáждое воскресéнье. Я дóлжен готóвиться к соревновáниям по плáванию.
Джим:	Не беспокóйся! Я запишý матч на видеомагнитофóн и потóм мы посмóтрим вмéсте.
Олег:	Спасúбо большóе. Ивáн тóже бýдет рад посмотрéть матч ещё раз.

1. Кто мáстер спóрта по плáванию? _____
2. Когдá Олéг нáчал занимáться плáванием? _____
3. Чем увлекáется Тáня? _____
4. Кем хóчет стать Ивáн? _____
5. Почемý Олéг не бýдет смотрéть футбóл? _____
6. Кто запúшет матч на видеомагнитофóн? _____

Word Power

3. Какóй вид спóрта?

Can you find 10 different sports hidden in this word square? One has been done for you.

х	р	т	п	л	а	в	а	н	и	е	ш
о	е	б	ю	к	о	н	ь	к	и	м	а
к	н	о	д	у	г	л	ы	ж	и	к	х
к	ю	к	в	о	л	е	й	б	о	л	м
е	з	с	в	ф	у	т	б	о	л	р	а
й	б	о	р	ь	б	а	ц	а	ы	в	т
г	и	м	н	а	с	т	и	к	а	р	ы

Language Focus

4. The instrumental singular

Fill in the blanks with the correct ending of the verbs.

1. Олéг всегдá был хорóшим спортсмéн_____ .
2. Вы занимáетесь спóрт_____ ?
3. Ларúса рабóтает медсестр_____ .
4. Ивáн мечтáет стать футболúст_____ .
5. Недáвно Óльга стáла чемпиóнк_____ .
6. Тáня увлекáется гимнáстик_____ .

5. Can you …?

Fill in the blanks with the correct form of the verb мочь (могу́, мо́жешь, … мо́гут).

1. Оле́г за́нят. Он не _____ смотре́ть футбо́л по телеви́зору.

2. Вы _____ ката́ться на конька́х?

3. Лари́са уста́ла. Она́ не _____ бо́льше пла́вать.

4. Я опа́здываю. Я не _____ де́лать заря́дку.

5. Ты _____ организова́ть соревнова́ния по те́ннису?

6. Мы не _____ бо́льше ждать, матч уже́ начина́ется.

6. Reflexive verbs

Complete the short dialogues using the correct forms of the verbs in parentheses.

1. (учи́ться)   Где Вы _____?

Я _____ на ку́рсах ру́сского языка́.

2. (занима́ться)   О́льга давно́ _____ спо́ртом?

Она́ _____ спо́ртом с де́тсва.

3. (улыба́ться)   Почему́ ты _____?

Я _____, потому́ что я стал чемпио́ном.

4. (начина́ться, конча́ться)   Когда́ _____ переда́ча «Спорт сего́дня»?

В 11 часо́в ве́чера.

А когда́ _____?

Ка́жется, в по́лночь.

Reading Corner

7. Кто же победи́т?

Boris Mikhailov, the chief coach of the Russian ice hockey team, is giving an interview to the newspaper Изве́стия. Read what he says and then answer the questions.

Журнали́ст: Над чем рабо́тает сейча́с национа́льная сбо́рная Росси́и?

Бори́с: Сейча́с сбо́рная гото́вится к турни́ру «Изве́стий».

Журнали́ст: Каки́е у Вас тру́дности в э́тот пери́од?

Бори́с: Соста́в игроко́в меня́ется ча́сто. Э́то гла́вная пробле́ма. Ещё есть и фина́нсовые тру́дности.

Журнали́ст: Тем не ме́нее, Вы уже́ зако́нчили отбо́р кома́нды на предстоя́щий турни́р?

Борис:	В о́бщем-то, да, В настоя́щее вре́мя кома́нда усе́рдно трениру́ется. Мы понима́ем, что предстои́т тяжёлая борьба́ за ку́бок.
Журнали́ст:	Кака́я Ва́ша роль как тре́нера?
Борис:	Моя́ зада́ча – помо́чь игрока́м прояви́ть себя́. И ещё, я тре́бую ли́чной отве́тственности ка́ждого игрока́ за результа́ты игры́.
Журнали́ст:	А каки́е пла́ны хокке́йной кома́нды Росси́и на бу́дущее?
Борис:	Бу́дем гото́виться к чемпиона́ту ми́ра. Э́то больша́я и отве́тственная зада́ча. Но бу́дем рабо́тать!
Журнали́ст:	Ну что ж, жела́ю успе́ха!

1. Како́й турни́р ско́ро? --

2. Каки́е тру́дности у кома́нды? --

3. Как кома́нда гото́вится к турни́ру? --

4. Кака́я роль тре́нера? --

5. Каки́е пла́ны кома́нды на бу́дущее? --

Write Here

8. Они́ занима́ются спо́ртом.

Look at the pictures and write sentences using the verbs from the box.

> занима́ться
> интересова́ться
> ката́ться   увлека́ться
> учи́ться

Example: *Оле́г занима́ется пла́ванием.*

1. Лари́са --

2. Ива́н --

3. Андре́й --

4. Ни́на --

5. Артём

UNIT 12: Review

Unit 12 gives you a chance to review the work you have done in Units 1 to 11.

1. Вопро́сы и Отве́ты

Match the questions on the left with the answers on the right.

1. Где гости́ница «Ко́смос»?	( )	a. Мы встре́тили Ни́ну и Бори́са.
2. Вы говори́те по-ру́сски?	( )	b. В магази́не «Ру́сский сувени́р».
3. Отку́да Вы?	( )	c. Сто пятьдеся́т ты́сяч рубле́й.
4. У Вас сестра́?	( )	d. Они́ иду́т в библиоте́ку.
5. Где мо́жно купи́ть матрёшку?	( )	e. Да, но совсе́м немно́го.
6. Куда́ иду́т студе́нты?	( )	f. К сожале́нию, я бу́ду рабо́тать.
7. Ско́лько сто́ит фотоаппара́т?	( )	g. В пя́тницу, в семь часо́в ве́чера.
8. Что ты бу́дешь де́лать в суббо́ту?	( )	h. Я была́ до́ма.
9. Кого́ вы встре́тили в теа́тре?	( )	i. Иди́те пря́мо, пото́м напра́во.
10. Где ты была́ вчера́?	( )	j. Нет, но у меня́ есть брат.
11. Когда́ бу́дет дискоте́ка?	( )	k. Я из А́нглии.

2. A, B, or C?

Choose which of the answers is correct.

1. Где Вы живёте?

   a. в Москве́

   b. непло́хо

   c. в Москву́

2. Вы говори́те по-ру́сски?

   a. спаси́бо

   b. немно́го

   c. недалеко́

3. Что де́лают де́ти?

   a. игра́ют

   b. чита́л

   c. бу́ду рабо́тать

4. Вы лю́бите му́зыку Чайко́вского?

   a. пожа́луйста

   b. не беспоко́йтесь

   c. о́чень

5. Куда́ пойду́т студе́нты ве́чером?

   a. на дискоте́ку

   b. в па́рке

   c. нельзя́

6. Когда́ начина́ется переда́ча?

   a. вчера́ ве́чером

   b. в 8 часо́в ве́чера

   c. Здесь ря́дом

3. Adjectives

Answer the questions using the correct form of the adjective in parentheses.

1. Какой это сувенир? (русский) _____

2. Какая это газета? (интересный) _____

3. Какое это пальто? (новый) _____

4. Какие это студенты? (английский) _____

5. Какой мальчик идёт в школу? (маленький) _____

6. Какая у Вас квартира? (большой) _____

7. Какие дети играют в парке. (маленький) _____

4. Opposites

What are the opposites of these words or phrases?

1. здесь	_____	8. много	_____
2. У меня есть	_____	9. открыто	_____
3. большой	_____	10. белый	_____
4. далеко	_____	11. можно	_____
5. быстро	_____	12. утром	_____
6. работать	_____	13. вчера	_____
7. хорошо	_____	14. здравствуйте	_____

5. Numerals

Write the prices of the food and the items in words, using the verb стоить.

1. white bread – 600 roubles _____

2. a bottle of pepsi – 1500 roubles _____

3. a chocolate bar – 3000 roubles _____

4. shoes – 70 000 roubles _____

5. sweater – 125 000 roubles _____

6. computer – 1 000 000 roubles _____

6. Questions

Write the questions to these answers.

1. _____ Она работает в школе.

2. _____ Да, у меня есть сестра.

3. _____ Здесь нельзя́ кури́ть.

4. _____ Сейча́с 2 часа́.

5. _____ Нет, я не хочу́ во́дку.

6. _____ Пла́тье сто́ит 150 ты́сяч.

7. _____ Вчера́ я был до́ма.

8. _____ Мы ходи́ли в кино́ в воскресе́нье.

7. Где? or куда́?

Answer the questions using the words in parentheses in the correct case.

Example: (шко́ла) Где ты был вчера́?   *В шко́ле.* _____

Куда́ ты ходи́л вчера́?   *В шко́лу.* _____

1. (апте́ка) Где рабо́тает Ни́на?   _____

Куда́ она́ идёт у́тром?   _____

2. (кинотеа́тр) Где идёт фи́льм «А́нна Каре́нина»?   _____

Куда́ иду́т де́ти в воскресе́нье?   _____

3. (Москва́) Где живёт Та́ня?   _____

Куда́ е́дет Бори́с?   _____

4. (магази́н) Где ма́ма покупа́ет проду́кты?   _____

Куда́ она́ идёт по́сле рабо́ты?   _____

8. Past tense

Put the verbs given in parentheses in the past tense.

1. Оле́г _____(рабо́тать) вчера́.

2. В воскресе́нье мы _____(отдыха́ть) до́ма.

3. В суббо́ту ве́чером студе́нты _____(ходи́ть) на дискоте́ку.

4. Ни́на _____(быть) до́ма вчера́ ве́чером.

5. Они́ _____(изуча́ть) ру́сский язы́к два го́да.

6. Где Вы _____(купи́ть) э́тот краси́вый самова́р?

7. Ты _____(встре́тить) ма́му на вокза́ле?

8. К сожале́нию, я не _____(смотре́ть) футбо́л, потому́ что я _____(быть) за́нят.

9. Verbs of motion

Fill in the blanks choosing the correct verb from the box.

éхать	иду́	éдет	пойдём	хо́дит	éздил	пое́дут	ходи́л
	идёте	пойду́т	éздили				

1. Куда́ Вы _____ сейча́с? Я _____ домо́й.

2. Ваш сын _____ в шко́лу? Нет, он ещё ма́ленький.

3. Куда́ ты _____ вчера, Оле́г? Вчера́ я _____ в бассе́йн.

4. Твои́ друзья́ _____ на дискоте́ку за́втра? Нет, мы _____ в пя́тницу все вме́сте.

5. Гости́ница далеко́. Вам на́до _____ на метро́.

6. Вчера Вы _____ в Ло́ндон? Нет, не _____, я был за́нят.

7. Кто э́то _____ на маши́не? Э́то мой па́па.

8. Ско́ро англи́йские студе́нты _____ в Росси́ю.

10. Test yourself

Translate these sentences and expressions which you came across in Units 1–11.

1. My name is Jim. Nice to meet you. _____

2. Where are you from? I'm from America. _____

3. How much does this book cost? _____

4. No, thank you. I don't like vodka. _____

5. When will you go to Russia? _____

6. Yesterday we went to the theater. _____

7. Where were you yesterday? I was at home. _____

8. What's the time? It's 5 o'clock. _____

9. Do you know where Hotel Cosmos is? _____

10. Give me a bottle of milk, please. _____

11. Ivan supports Zenit. _____

12. What a beautiful dress! What size is it? _____

UNIT 13: How's the weather?

Unit 13 is about the seasons and the weather. It also gives you a chance to revise the present, past, and future tenses.

Match Game

1. Кака́я пого́да сего́дня?

Match the sentences with the pictures.

1. Идёт дождь.
2. Све́тит со́лнце.
3. О́чень хо́лодно. Моро́з.
4. Идёт снег.
5. Па́смурно. На не́бе облака́.

Talking Point

2. Дава́йте пое́дем на да́чу!

The Sokolov family want to spend their weekend at their country cottage. But it all depends on the weather … Read their conversation and then answer the questions.

Та́ня: Дава́йте пое́дем на да́чу в выходны́е!

Ма́ма: Э́то зави́сит от пого́ды. Посмотри́, кака́я плоха́я пого́да сего́дня: идёт дождь, ду́ет ве́тер. О́чень неприя́тно! А како́й прогно́з на выходны́е?

Па́па: Говоря́т, в суббо́ту бу́дет тепло́, да́же жа́рко +25 гра́дусов. А в воскресе́нье бу́дет гроза́.

Та́ня: Но гроза́ обы́чно бы́стро прохо́дит и опя́ть све́тит со́лнце. Ну, дава́йте пое́дем! А?

Ива́н: Я – с удово́льствием! Ле́том на да́че здо́рово! Недалеко́ лес и о́зеро совсе́м ря́дом.

Па́па: Ну вот, мы и реши́ли: е́дем на да́чу! На́до порабо́тать в саду́, а пото́м пойдём в лес собира́ть грибы́. Обы́чно по́сле дождя́ мно́го грибо́в в лесу́.

Ива́н: Отли́чная иде́я! Я о́чень люблю́ собира́ть грибы́. Е́сли пого́да бу́дет хоро́шая, я пойду́ на о́зеро и бу́ду лови́ть ры́бу.

Та́ня:	Е́сли бу́дет ры́ба, то бу́дет и уха́! Я пригото́влю вку́сный обе́д!
Ива́н:	Пото́м мы пойдём на о́зеро и бу́дем купа́ться и загора́ть.
Та́ня:	И, коне́чно, ката́ться на ло́дке!
Ма́ма:	Ну, что ж. Я бу́ду собира́ть ве́щи на да́чу, а ты, Оле́г, позвони́ Джи́му. Мо́жет быть, он то́же пое́дет с на́ми.
Па́па:	Обяза́тельно позвоню́ и приглашу́ Джи́ма на да́чу. Я ду́маю, что ему́ бу́дет интере́сно.

1. Куда́ Соколо́вы пое́дут в выходны́е дни?

----

2. Кака́я сего́дня пого́да?

----

3. Како́й прогно́з пого́ды на выходны́е дни?

----

4. Что они́ бу́дут де́лать на да́че?

----

5. Е́сли пого́да бу́дет хоро́шая, что бу́дет де́лать Ива́н?

----

6. Что бу́дут де́лать Та́ня и Ива́н на о́зере?

----

7. Кого́ они́ хотя́т пригласи́ть на да́чу?

 # Word Power

3. Како́е э́то о́зеро?

Fill in the blanks in the sentences, choosing words from the box. These are the clues to the crossword puzzle. The center column will tell you where Tanya is going to spend her summer student vacation.

купа́ться	волейбо́л	рюкза́к	пала́тках	ката́ться	собира́ть

1. Та́ня лю́бит _____ грибы́ в лесу́.
2. Е́сли пого́да бу́дет хоро́шая, студе́нты бу́дут _____ и загора́ть.
3. Та́ня хорошо́ игра́ет в _____.
4. В похо́д удо́бно брать не чемода́н, а _____.
5. На о́зере хорошо́ _____ на ло́дке.
6. Студе́нты бу́дут жить в _____.

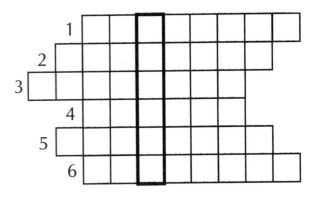

Language Focus

4. The simple future tense

Complete the table with the verbs in the simple future tense. One has been done for you.

Infinitive	Present	Future
чита́ть/прочита́ть	я чита́ю	я прочита́ю
идти́/пойти́	он идёт	он _____
де́лать/сде́лать	они́ де́лают	они́ _____
писа́ть/написа́ть	я пишу́	я _____
смотре́ть/посмотре́ть	мы смо́трим	мы _____
е́хать/пое́хать	ты е́дешь	ты _____
ви́деть/уви́деть	Вы ви́дите	Вы _____
звони́ть/позвони́ть	я звоню́	я _____
гото́вить/пригото́вить	она́ гото́вит	она́ _____

5. Е́сли …

Finish the sentences using the conditional clause with "if" (е́сли), as in the example.

Example: Я бу́ду купа́ться, е́сли *бу́дет тепло́* (тепло́).

1. Соколо́вы пое́дут на да́чу, е́сли _____ (хоро́шая пого́да).
2. Джим напи́шет письмо́ ма́ме, е́сли _____ (свобо́дное вре́мя).
3. Я куплю́ но́вую маши́ну, е́сли _____ (де́ньги).
4. Та́ня и Андре́й пойду́т в кино́, е́сли _____ (биле́ты).
5. Я никуда́ не пойду́, е́сли _____ (дождь).
6. Мы не пойдём в бассе́йн за́втра, е́сли _____ (хо́лодно).

Reading Corner

6. Откры́тка

Tanya is taking her vacation at Lake Baikal. She has written a postcard to her parents. Read the text and then write the questions to the answers given below.

1. _____

   Байка́л о́чень большо́е и
   краси́вое о́зеро.

2. _____

   Мы е́хали на по́езде.

3. _____

   Приро́да краси́вая и
   необы́чная на Байка́ле.

4. _____

   Пого́да стои́т великоле́пная.

5. _____

   Студе́нты живу́т в пала́тках.

6. _____

   Ка́ждый день мы купа́емся, загора́ем и ката́емся на ло́дке.

Дороги́е ма́ма, па́па и Ива́н!
Вот мы и прие́хали, наконе́ц. Мы е́хали до Ирку́тска почти́ 6 дней! На́ша турба́за нахо́дится на берегу́ о́зера Байка́л. Приро́да вокру́г о́чень краси́вая и необы́чная. Чи́стый во́здух. Мы живём в пала́тках. Пого́да стои́т великоле́пная! Да́же жа́рко. Ка́ждый день мы купа́емся, загора́ем и ката́емся на ло́дке. Ско́ро у нас бу́дут соревнова́ние по волейбо́лу. Я о́чень ра́да, что прие́хала сюда́.
Вот и все мои́ но́вости. Переда́йте приве́т ба́бушке и де́душке. Жду отве́та.
Целу́ю, Та́ня.

Write Here

7. Времена́ го́да

Rearrange these sentences, write them next to the appropriate season, and add some more of your own.

Хо́лодно. Жа́рко. Ча́сто идёт дождь. Идёт снег. Ду́ет си́льный ве́тер. Прохла́дно и сы́ро. На у́лице моро́з. Наш сад краси́вый весно́й. Не́бо голубо́е. Я́рко све́тит со́лнце. Де́ти ката́ются на лы́жах. Я люблю́ ле́то. На́ша семья́ отдыха́ет на мо́ре. Дере́вья и поля́ жёлтые. Тепло́, нет ве́тра. Ну́жно брать зонт. Мы лю́бим купа́ться и загора́ть.

Зима́: _____

Весна́: _____

Ле́то: _____

О́сень: _____

UNIT 14: What does he look like?

Unit 14 is about describing people and comparing things. You'll also practice talking about the past.

Match Game

1. Какóй он?

Match the words to the appropriate picture.

1. тóлстый
2. весёлый
3. высóкий
4. стрóйная
5. си́льный
6. с бородóй
7. ста́рый
8. блонди́нка

Talking Point

2. Он óчень хорóший па́рень.

Tanya and her friend Ira are talking about Tanya's new boyfriend. Read their conversation and then respond to the statements below.

Йра:	Та́ня, ты хорошó отдохну́ла ле́том?
Та́ня:	Прекра́сно! Я е́здила на Байка́л. Ме́жду прóчим, у меня́ нóвый друг. Он óчень хорóший па́рень.
Йра:	Пра́вда?! Где вы познакóмились?
Та́ня:	На турба́зе, на Байкале. Егó зову́т Антóн. Он живёт в Ирку́тске и у́чится в политехни́ческом институ́те.
Йра:	Ой, как интере́сно! Как он вы́глядит?
Та́ня:	Он высóкий и стрóйный. У негó све́тлые вóлосы и больши́е се́рые глаза́. В óбщем, он в моём вку́се.
Йра:	А скóлько ему́ лет?

57

Та́ня:	Он ста́рше, чем я. Но э́то нева́жно.
Йра:	А како́й у него́ хара́ктер?
Та́ня:	Он весёлый и до́брый. Ме́жду про́чим, неплохо́й спортсме́н.
Йра:	Неуже́ли?! Каки́м спо́ртом он занима́ется?
Та́ня:	Он хорошо́ пла́вает, игра́ет в те́ннис и в волейбо́л. Жаль, что мне ну́жно бы́ло возвраща́ться в Москву́.
Йра:	Ты бу́дешь писа́ть ему́ пи́сьма?
Та́ня:	Коне́чно, бу́ду. Но вчера́ Анто́н звони́л и сказа́л, что он ско́ро прие́дет в Москву́ на соревнова́ния.
Йра:	Вот хорошо́! Зна́чит, ты ско́ро уви́дишь его́ опя́ть.
Та́ня:	Да, я так ра́да!

Э́то так и́ли не так?

1. Та́ня хорошо́ отдохну́ла ле́том.   ---

2. Она́ е́здила в Крым.   ---

3. Та́ня и Анто́н познако́мились в Москве́.   ---------------------------------------

4. У Анто́на тёмные во́лосы и ка́рие глаза́.   ---------------------------------------

5. Анто́н у́чится в Университе́те.   --

6. Анто́н ско́ро прие́дет в Москву́.   --

 # Word Power

3. Parts of the body

Can you name these parts of the body?

1. - - - - - - - - - - - - - - - -

2. - - - - - - - - - - - - - - - -

3. - - - - - - - - - - - - - - - -

4. - - - - - - - - - - -

5. - - - - - - - - - - -

6. - - - - - - - - - - -

7. - - - - - - - - - - -

8. - - - - - - - - - - -

Language Focus

4. Comparatives

Fill in the blanks with the comparative form of the adjectives given in parentheses.

Example: Ваш дом _**бо́льше**_ (большо́й), чем наш.

1. Мой муж _____ (ста́рший), чем я.

2. Сестра́_____ (мла́дший), чем брат.

3. Его́ друг_____ (высо́кий), чем он.

4. Э́тот сви́тер_____ (дорого́й), чем тот.

5. Самолёт_____(бы́стрый), чем по́езд.

6. В Росси́и кли́мат_____(холо́дный), чем в А́нглии.

7. Говоря́т, Санкт-Петербу́рг _____ (краси́вый), чем Москва́.

5. Superlatives

Fill in the blanks with the superlative form of the adjectives given in parentheses. Remember to match the gender of the noun to which they refer.

Example: Москва́ _**са́мый большо́й**_ (большо́й) го́род в Росси́и.

1. Кра́сная Пло́щадь_____ (гла́вный) пло́щадь столи́цы.

2. ГУМ_____(большо́й) магази́н в Москве́.

3. Оста́нкинская ба́шня _____(высо́кий) ба́шня в Москве́.

4. Эрмита́ж _____(изве́стный) музе́й Росси́и.

5. А. С. Пу́шкин – мой _____(люби́мый) поэ́т.

6. Мое́й ба́бушке 75 лет. Она́_____(ста́рший) в семье́.

6. Reflexive verbs

Complete the table with the reflexive verbs in the present and past tenses.

PRESENT	PAST
Он у́чится	
Она́ _____	Он учи́лся
Вы занима́етесь	Она́ купа́лась
Они́ _____	Вы _____
Мы встреча́емся	Они́ ката́лись
Я _____	Мы _____
Ты увлека́ешься	Я улыба́лся
	Ты _____

Reading Corner

7. Как он вы́глядит?

Oleg Sokolov is going to the airport to meet the representative of a foreign company. He was given this note with the description of the man. Read it and fill in the blanks with the appropriate words from the box.

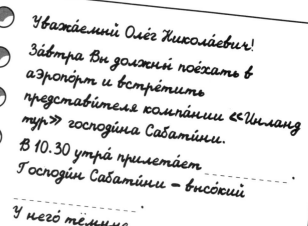

Уважа́емый Оле́г Никола́евич!
За́втра Вы должны́ пое́хать в аэропо́рт и встре́тить представи́теля компа́нии «Инланд тур» господи́на Сабати́ни.
В 10.30 утра́ прилета́ет Господи́н Сабати́ни – высо́кий _____.
У него́ тёмные _____ и ка́рие _____. Он пло́хо ви́дит и поэ́тому но́сит _____. Он оде́т в се́рый _____. В рука́х у него́ бу́дет чёрный и _____.
Пожа́луйста, не опа́здывайте. Возьми́те _____.
С уваже́нием, дире́ктор фи́рмы «Де́льта».

во́лосы	газе́та	глаза́
костю́м	мужчи́на	
очки́	портфе́ль	
самолёт	такси́	

Write Here

8. Кто ста́рше?

Look at the chart and answer the questions giving complete answers as in the example.

	Та́ня	Йра	Анто́н
Во́зраст	19	21	24
Рост	164см	158см	182см
Вес	52кг	66кг	78кг
Во́лосы	тёмные длинные	тёмные коро́ткие	све́тлые коро́ткие
Глаза́	зелёные	ка́рие	се́рые

Example: *Кто ста́рше Та́ня и́ли Анто́н?*
Та́ня ста́рше, чем Анто́н.

1. Кто вы́ше Йра и́ли Та́ня? _____
2. Кто са́мый высо́кий? _____
3. Кто са́мый то́лстый? _____
4. Кто мла́дше Та́ня и́ли Анто́н? _____
5. У кого́ се́рые глаза́? _____
6. У кого́ тёмные коро́ткие во́лосы? _____
7. У кого́ дли́нные во́лосы и зелёные глаза́? _____

UNIT 15: How are things going?

Unit 15 is about using the telephone, business communications, and expressing obligations. You'll also practice another way of talking about the past.

Match Game

1. По телефóну

Can you speak on the phone in Russian? Match the telephone phrases on the left with the appropriate response on the right.

1. Йру мóжно к телефóну?	( )	a. Ничегó, пожáлуйста.
2. Это фирма «Дéльта»?	( )	b. Да, удóбно.
3. В 7 часóв удóбно?	( )	c. Сегóдня 10 января.
4. Я всё сдéлал!	( )	d. Это говорит Олéг.
5. Извините, я не тудá попáл.	( )	e. Передáйте, что Волóдя звонил.
6. Кто это говорит?	( )	f. К сожалéнию, Йры нет.
7. Что передáть?	( )	g. Нет, не тот нóмер.
8. Какóе сегóдня числó?	( )	h. Молодéц!

Talking Point

2. Деловóй разговóр

Oleg and Volodya are discussing a new contract with a foreign tourist company. Read their conversation and fill in the blanks, choosing the correct past form of the infinitive given in parentheses.

Волóдя: Аллó?... Это фирма «Дéльта»?

Гóлос: Нет. Вы непрáвильно _____ (набирáть/набрáть) нóмер.

Волóдя: Извините, я не тудá _____ (попадáть/попáсть).

(He dials again) Аллó? Мóжно Олéга к телефóну?

Гóлос: Минýточку …

Олéг: Здрáвствуй, Волóдя. Как делá?

Волóдя: Спасибо, неплóхо. Олéг, у меня вáжный разговóр. Почемý ты не _____ (быть) на совещáнии вчерá?

Олéг: Бóже мой! Я совсéм _____ (забывáть/забыть)! Что-нибýдь вáжное?

Воло́дя: Да. Мы _____ (обсужда́ть/обсуди́ть) но́вый догово́р с италья́нской туристи́ческой компа́нией.

Оле́г: Я _____ (быть) о́чень за́нят и по́здно (вспомина́ть/вспо́мнить) о совеща́нии. Но я (гото́вить/подгото́вить) на́ши предложе́ния к прое́кту догово́ра.

Воло́дя: О́чень хорошо́. Я ду́маю, что э́то вы́годный догово́р для на́шей фи́рмы.

Оле́г: Я уже́ _____ (звони́ть/позвони́ть) в банк по по́воду финанси́рование э́того прое́кта, и _____ (писа́ть/написа́ть) письмо́ туда́.

Воло́дя: Молоде́ц! За́втра мы должны́ встре́титься и обсуди́ть дета́ли прое́кта. В 9 часо́в удо́бно?

Оле́г: Для меня́ удо́бно. Договори́лись. До за́втра.

Word Power

3. Months

Fill in the months of the calendar in Russian.

Language Focus

4. Aspects of verbs

Look at the pictures and write what these people are doing and what action they have completed. Follow the example.

Imperfective

Perfective

Example:

чита́ть *Он чита́ет кни́гу.*

прочита́ть *Он прочита́л кни́гу.*

Imperfective	Perfective

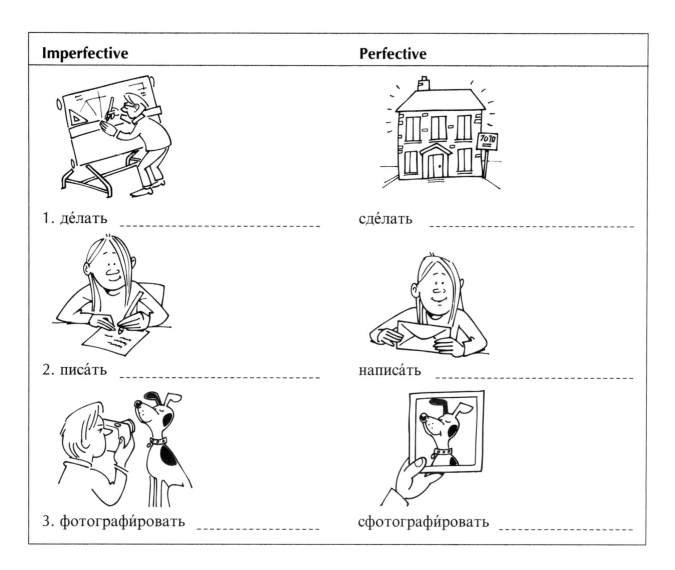

1. де́лать _____   сде́лать _____

2. писа́ть _____   написа́ть _____

3. фотографи́ровать _____   сфотографи́ровать _____

5. Imperfective or perfective?

Fill in the blanks with the appropriate form of the verbs.

1. (покупа́ть/купи́ть)   Ка́ждое у́тро я _____ газе́ты в кио́ске.

   А вчера́ я _____ там хоро́шую кни́гу.

2. (де́лать/сде́лать)   Иван _____ уро́ки 2 часа́.

   Он _____ уро́ки и пошёл гуля́ть.

3. (писа́ть/написа́ть)   Вчера́ Джим _____ письмо́ ма́ме.

   Он ча́сто _____ пи́сьма домо́й.

4. (брать/взять)   Сего́дня у́тром Та́ня _____ кни́гу в библиоте́ке.

   Она́ всегда́ _____ там кни́ги и журна́лы.

5. (класть/положи́ть)   Оле́г всегда́ _____ докуме́нты в стол.

   Он _____ докуме́нты в портфе́ль и пошёл на рабо́ту.

6. (получа́ть/получи́ть)   Вчера́ Ни́на _____ письмо́ от английской подру́ги.

   Она ча́сто _____ пи́сьма из А́нглии.

Reading Corner

6. A business letter

Read Oleg's letter to the managing director of Delta with his suggestions about the new international project and then add two suggestions of your own.

Уважа́емый господи́н дире́ктор.

В сре́ду я встре́тил в аэропорту́ господи́на Сабати́ни. Он представи́тель италья́нской компа́нии «Инланд тур». В пя́тниц на совеща́нии мы обсуди́ли но́вый догово́р. Вот на́ши предложе́ния:

1. Откры́ть но́вое туристи́ческое аге́нство в Москве́.

2. Организова́ть рекла́му аге́нства по ра́дио, телеви́дению и в газе́тах.

3. Обсуди́ть фина́нсовый план аге́нства.

4. Посла́ть на́ших специали́стов в Ита́лию учи́ться турби́знесу.

5. _____

6. _____

Я наде́юсь, что э́ти предложе́ния бу́дут поле́зны и но́вый догово́р бу́дет вы́годным для на́шей фи́рмы.

С уваже́нием,   15 сентября́ 1995 го́да.
О. Н. Соколо́в.

Write Here

7. Business notes

Read the notes from Oleg's business diary and see which tasks he has or hasn't done during the week, as in the example.

Example: *В понеде́льник Оле́г подгото́вил предложе́ния к прое́кту догово́ра.*

_____

_____

_____

_____

_____

_____

_____

Пон.	*На́до подгото́вить предложе́ния к прое́кту догово́ра.* ✔
Вт.	*На́до позвони́ть в аэропо́рт и узна́ть рейс самолёта.* ✔
Ср.	*На́до встре́тить господи́на Сабати́ни в аэропо́рту.* ✔
Чет.	*На́до быть на совеща́нии в 9.30 утра́.* ✘
Пят.	*На́до написа́ть письмо́ в банк.* ✔
Суб.	*На́до отпра́вить факс в Ки́ев.* ✘

UNIT 16: When's the next train?

Unit 16 is about travel: buying tickets, finding out train times, and making inquiries and requests.

Match Game

1. Во ско́лько? Ско́лько?

Match the inquiries on the left with the appropriate response on the right.

1. Ско́лько часо́в лете́ть от Ло́ндона до Москвы́?
2. Во ско́лько отхо́дит по́езд?
3. Ско́лько Вам биле́тов?
4. Во ско́лько прибыва́ет самолёт?
5. Во ско́лько ну́жно прийти́?
6. Вам купе́, плацка́рта йли о́бщий ваго́н?
7. Ско́лько сто́ит биле́т до Санкт-Петербу́рга?
8. Ско́лько киломе́тров от Москвы́ до Санкт-Петербу́рга?

( ) a. Биле́т сто́ит 30 ты́сяч рубле́й.
( ) b. Самолёт прибыва́ет по расписа́нию.
( ) c. Приходи́те во́время. Не опа́здывайте.
( ) d. Купе́, пожа́луйста.
( ) e. Три с полови́ной часа́.
( ) f. 600 киломе́тров.

( ) g. 2 биле́та, пожа́луйста.

( ) h. По́езд отхо́дит в 17 часо́в 35 мину́т.

Talking Point

2. Биле́т до Санкт-Петербу́рга

Oleg is going on a business trip to St. Petersburg. He is buying a ticket. Read his conversation at the ticket office and fill in the blanks with the words from the box.

биле́т	командиро́вку	купе́	но́мер	отдохну́ть	уста́л
отправля́ется	прибыва́ет	про́даны	расписа́ние	ско́лько	

Касси́р: Я Вас слу́шаю. Что Вы хоти́те?

Оле́г: Оди́н _____ до Санкт-Петербу́рга, пожа́луйста.

Касси́р:	Како́й _____ по́езда?
Оле́г:	На «Кра́сную Стрелу́» мо́жно?
Касси́р:	К сожале́нию, на «Кра́сную Стрелу́» все биле́ты _____ .
Оле́г:	Понима́ете … Я е́ду в _____ и мне ну́жно сро́чно быть в Петербу́рге!
Касси́р:	Я понима́ю. Подожди́те, мину́точку … Есть биле́ты на по́езд №3. Подойдёт?
Оле́г:	Во _____ отправля́ется э́тот по́езд?
Касси́р:	В 11.30 ве́чера и он _____ в Петербу́рг в 7 часо́в утра́. Бу́дете брать?
Оле́г:	Да, э́тот мне подойдёт.
Касси́р:	Вам плацка́рта и́ли _____ ?
Оле́г:	Купе́, пожа́луйста. Я о́чень _____ и мне ну́жно _____ .
Касси́р:	Вот, пожа́луйста. Оди́н биле́т до Санкт-Петербу́рга, по́езд № 3, пя́тый ваго́н, восьмо́е ме́сто. С Вас 40 ты́сяч рубле́й.
Оле́г:	Спаси́бо. А с како́й платфо́рмы _____ по́езд № 3?
Касси́р:	По-мо́ему, с пе́рвой. Но лу́чше посмотри́те _____ . Счастли́вого пути́!
Оле́г:	Спаси́бо большо́е. До свида́ния.

Word Power

3. On the move

Fill in the blanks to complete this crossword puzzle. Can you find the word in the central column?

1. Е́сли Вам нужна́ спра́вка, Вы идёте в _____ бюро́.
2. У роди́телей о́тпуск, а у дете́й _____.
3. По́езд № 3 отхо́дит с 5-ой _____.
4. Быстре́е _____ самолётом.
5. Я не люблю́ е́здить на маши́не, я люблю́ ходи́ть_____.
6. _____ № 3 отправля́ется с 5-ой платфо́рмы.
7. Во ско́лько прибыва́ет по́езд? Посмотри́те _____.
8. Вы не зна́ете, где _____ "Ко́смос"?
9. В ваго́не _____ проверя́ет биле́ты.
10. Оле́г е́дет в _____ в Санкт-Петербу́рг.
11. Да́йте, пожа́луйста, 2 _____ до Ки́ева.

Language Focus

4. Ordinal numerals

Write out the phrases in full using ordinal numerals.

1. й уро́к _____

2. ая попы́тка _____

3. й по́езд _____

4. ое января́ _____

5. й ваго́н _____

6. ая остано́вка _____

7. ая платфо́рма _____

8. ое ме́сто _____

9. ое ма́я _____

10. ая страни́ца _____

5. The instrumental plural

This is Oleg's appointments diary, listing what he's going to do on his business trip. Write sentences using the instrumental plural, as in the example.

Example: *9.00. – Перегово́ры. Представи́тели фи́рмы «Се́вер тур».*
В 9 часо́в перегово́ры с представи́телями фи́рмы
«Се́вер тур».

11.00. – Встре́ча. Директора́ гости́ниц.

_____

12.30. – Обе́д. Колле́ги.

_____

14.00. – 18.00. – Рабо́та. Предложе́ния к прое́кту догово́ра.

_____

19.00. – Разгово́р по телефо́ну. Жена́, де́ти.

_____

20.00. – У́жин в ресторане́ «Садко́». Друзья́.

_____

Reading Corner

6. Путеше́ствуйте по́ездом!

Read this advertisement by one of the
Russian railway companies and then
complete the sentences.

Пóльзуйтесь услýгами Октя́брьской желéзной доро́ги!
Путешéствуйте по́ездом! Э́то надёжно, бы́стро и удо́бно!
Услýги Октя́брьской ЖД помо́гут Вам посети́ть
разли́чные интерéсные местá и соверши́ть поéздку в
зарубéжные стрáны. Мы предлагáем поездá:
• для делово́й поéздки,
• для тури́зма,
• для транзи́та чéрез Росси́ю.
В ваго́нах мы гаранти́руем комфо́рт, хоро́шее
обслýживание, традицио́нное гостеприи́мство.
Принимáются предвари́тельные закáзы на удо́бный для
Вас по́езд, в удо́бное для Вас врéмя!
Счастли́вого пути́!

1. Путешéствовать по́ездом-э́то

--------------------------------.

2. Мы предлагáем поездá для

--------------------------------.

3. В ваго́нах мы гаранти́руем

--------------------------------.

4. Принимáются предвари́тельные закáзы

-----------------------------------.

Write Here

7. Inquiries and requests

Read the sentences and then write an inquiry or a request.

Example: Ask what time train no. 3 is leaving.

Скажи́те, пожа́луйста, во ско́лько отхо́дит по́езд №3?

1. Ask for two tickets to Moscow.

----

2. Ask what time the plane from London arrives.

----

3. Ask for directions to the taxi stand.

----

4. Ask from which platform train no. 5 leaves.

----

5. Ask where the train schedule (timetable) is.

----

6. Ask what time the train arrives in Kiev.

UNIT 17: It's urgent!

Unit 17 is about sending messages by mail, telegram, and fax.

Match Game

1. Necessity

What should you do if you are in the situations given on the left?
Choose the most appropriate advice on the right.

1. Отправить телеграмму.   ( )
2. Послать посылку.   ( )
3. Встретить маму.   ( )
4. Поехать в театр.   ( )
5. Я опаздываю!   ( )
6. Он голоден.   ( )
7. Послать письмо.   ( )
8. У меня высокая температура.   ( )

a. Нужно взять такси.
b. Нужно вызвать врача.
c. Нужно купить марки.
d. Нужно заполнить бланк.
e. Нужно пойти на почту.
f. Нужно поехать на вокзал.
g. Нужно купить билеты.
h. Нужно пообедать.

Talking Point

2. Мне нужно послать телеграмму.

Jim is at the post office. He wants to send a fax to Boston, but is having problems. Read his conversation with the post clerk and then answer the questions.

Джим: Извините, мне нужно послать факс в Бостон.

Девушка: К сожалению, туда факс послать невозможно. Только телеграмму.

Джим: В таком случае, можно в Бостон срочную телеграмму послать? Это очень важно! Телеграмму должны получить сегодня!

Девушка: Не волнуйтесь. Вот, заполните этот бланк.

Джим: Сколько времени идёт срочная телеграмма в Бостон?

Девушка: Три часа. С Вас 20 тысяч рублей. Это всё?

Джим: Нет, ещё конверты с марками.

Дéвушка:	Куда́? Ме́стные и́ли за грани́цу?
Джим:	Де́сять ме́стных конве́ртов и семь за грани́цу.
Дéвушка:	Э́то бу́дет сто́ить 18 ты́сяч. Что ещё?
Джим:	А где мо́жно отпра́вить посы́лку с кни́гами?
Дéвушка:	Вон там, ви́дите око́шко «Бандеро́ли и посы́лки»?
Джим:	Да, ви́жу. Спаси́бо большо́е.
Дéвушка:	Не забу́дьте пра́вильно написа́ть обра́тный а́дрес: снача́ла страна́, пото́м го́род, пото́м у́лица, дом, кварти́ра и то́лько пото́м фами́лия и и́мя.
Джим:	Спаси́бо, не забу́ду!

1. Что хо́чет посла́ть Джим?_____

2. Каку́ю телегра́мму он хо́чет посла́ть?_____

3. Что ну́жно сде́лать, что́бы посла́ть телегра́мму? _____

4. Каки́е конве́рты он хо́чет купи́ть?_____

5. Где мо́жно отпра́вить посы́лку? _____

6. Как ну́жно писа́ть ру́сский а́дрес?_____

Word Power

3. It's in the mail.

Use one of the verbs from the box to make a caption for each picture.

идти́	нести́	опуска́ть	писа́ть	получа́ть	посыла́ть

1. _____

2. _____

3. _____

4. _____

5. _____

6. _____

Language Focus

4. Не везёт!

No luck today! Whatever you ask for is sold out! Look at the dialogue in the example and write similar ones using the genitive plural of nouns.

Example: *У Вас есть английские газе́ты?*

Нет, сего́дня нет английских газе́т.

1. Междунаро́дные конве́рты

----

2. Кни́ги об Эрмита́же

----

3. Ру́сские плака́ты

----

4. Биле́ты в Большо́й Теа́тр

----

5. Свобо́дные места́ в рестора́не

----

6. Ма́рки за грани́цу

----

5. Irregular verbs

Complete the tables using the required form of the pair of the infinitives:

PRESENT	FUTURE
Я встреча́ю	Я встре́чу
Он _____	Он ска́жет
Они́ отдыха́ют	Они́ _____
Она́ _____	Она́ ку́пит
Вы получа́ете	Вы _____
Мы _____	Мы придём
Он расска́зывает	Он _____
Я _____	Я спрошу́

встреча́ть/встре́тить

говори́ть/сказа́ть

отдыха́ть/отдохну́ть

покупа́ть/купи́ть

получа́ть/получи́ть

приходи́ть/прийти́

расска́зывать/рассказа́ть

спра́шивать/спроси́ть

Reading Corner

6. Колле́кция ма́рок

Read the text and then answer the questions.

Никола́й Миха́йлович Соколо́в коллекционе́р. Он собира́ет ма́рки. Он на́чал собира́ть ма́рки когда́ ещё был ребёнком. Его́ оте́ц подари́л ему́ пе́рвые ма́рки. Э́то бы́ли о́чень ста́рые ма́рки и о́чень це́нные. Так ма́рки ста́ли увлече́нием Никола́я. Он ча́сто покупа́л це́лые компле́кты ма́рок «Тра́нспорт», «Спорт», «Изве́стные лю́ди», «Па́мятные да́ты» и други́е. Друзья́ и знако́мые привози́ли ему́ ма́рки из ра́зных стран. Сейча́с в его́ колле́кции есть ма́рки со всех контине́нтов: Евро́пы, А́зии, Аме́рики, А́фрики и да́же Австра́лии.

Ка́ждое воскресе́нье Никола́й Миха́йлович е́здит в клуб филатели́стов. Там узнаёт но́вости в ми́ре филатели́и. Он о́чень горди́тся свое́й колле́кцией. Он говори́т: «Лу́чший пода́рок – э́то почто́вая ма́рка!»

1. Когда́ Никола́й на́чал собира́ть ма́рки? _____

2. Кто подари́л ему́ пе́рвые ма́рки? _____

3. Каки́е компле́кты ма́рок в его́ колле́кции? _____

4. Кто привози́л ему́ ма́рки? _____

5. Что он де́лает в клу́бе филатели́стов? _____

Write Here

7. Telegram

Oleg is sending a telegram to his family from St. Petersburg: he will be arriving in Moscow tomorrow morning at 7:15, in car 5 of train 3. He wants them to take a taxi and meet him, as he has a lot of baggage.

Put the address in the correct order, then write the telegram in Russian for Oleg, using as few words as possible.

Слов	Плата		МИНИСТЕРСТВО СВЯЗИ РОССИИ	ПЕРЕДАЧА	
	руб.	коп.	**ТЕЛЕГРАММА**	____го ____час. ____мин.	
				№ связи _____	
			Из_____		
			№_____		
Итого			____сл. ____го ____час. ____мин.		
Принял					

Куда, кому: Соколо́вой Лари́се Па́вловне. г. Москва́. Дом 202, кварти́ра 161, ко́рпус 3. и́ндекс 115489. Сире́невый бульва́р.

_____

Текст: _____

72

UNIT 18: I don't feel so good!

Unit 18 is about health and exercise, how people feel, and giving and seeking advice.

Match Game

1. Совет

Give suitable advice by matching the response on the right to the statement on the left.

1. У меня́ боли́т голова́. ( )
2. У меня́ боля́т зу́бы. ( )
3. Я пло́хо ви́жу. ( )
4. Я уста́л(а). ( )
5. У меня́ есть реце́пт. ( )
6. У меня́ аппендици́т. ( )
7. Я толсте́ю.

a. Вам ну́жно сде́лать опера́цию.
b. Вам ну́жно носи́ть очки́.
c. Вам ну́жно пойти́ в апте́ку.
d. Вам ну́жно занима́ться спо́ртом.
e. Вам ну́жно приня́ть аспири́н.
f. Вам ну́жно отдохну́ть.
g. Вам ну́жно пойти́ к зубно́му врачу́.

Talking Point

2. Я заболе́ла.

Tanya is not well today and a doctor is visiting her. Read their conversation and then write out the advice the doctor has given to her.

Та́ня: Алло́. Э́то поликли́ника?

Го́лос: Да, поликли́ника. Слу́шаю Вас.

Та́ня: Мне ка́жется, что я заболе́ла. Мне пло́хо. У меня́ боля́т голова́ и го́рло. И у меня́ си́льный на́сморк.

Го́лос: Поня́тно. Я вызыва́ю Вам врача́. Врач бу́дет сего́дня по́сле обе́да.

Та́ня: Спаси́бо большо́е.

(later)

Врач: Что с Ва́ми? Что боли́т? Есть температу́ра?

Та́ня: Но́чью была́ высо́кая температу́ра, а сейча́с норма́льная. Но я о́чень пло́хо себя́ чу́вствую. Така́я сла́бость!

Врач: Вы больны́, у Вас грипп. Вам нельзя́ рабо́тать. Ну́жно лежа́ть в посте́ли и принима́ть лека́рства.

Та́ня: Но я должна́ идти́ в университе́т на ле́кции. Ведь у меня́ ско́ро экза́мены!

Врач: Ничего страшного. Вот Вам рецепт. Принимайте эти таблетки три раза в день. Больше пейте чай и соки. В комнате должен быть свежий воздух. Будет хуже, звоните.

Таня: Спасибо, доктор. Я надеюсь, что я скоро поправлюсь.

Врач: Безусловно! Через три – четыре дня будете здоровы. Всего доброго и до свидания.

Советы врача: _____

Word Power

3. Части тела

Rearrange the letters to find the names for the parts of the body and then mark them on the picture.

1. укар   ----------

2. гнао   ----------

3. ругьд   ----------

4. яшё   ---------

5. цепал   ---------

6. котоль   ----------

7. ленóко   ----------

8. вóтжи   ---------

9. вологá   ----------

4. Find the preposition

Read these sentences and fill in the blanks with the correct preposition from the box.

1. Вы больны, Вам нужно пойти _____ врачу.

2. Вот рецепт. Сходите _____ аптеку _____ лекарством.

3. Идите прямо _____ улице, там поликлиника.

4. Там река, нужно ехать _____ мост.

5. Письмо _____ России идёт три недели.

6. Уже шесть часов. Олег идёт домой _____ работы.

7. Студенты спешат _____ лекцию.

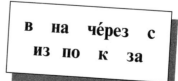

в   на   через   с
из   по   к   за

Language Focus

5. Commands and requests

Fill in the blanks using the verbs given in parentheses in the form of a request or command, as in the example.

Example: Вы больны́. *Лежи́те* (лежа́ть) в посте́ли!

1. Йра, _____ (купи́ть) лека́рство в апте́ке.

2. На у́лице дождь. _____ (взять) зонт.

3. У Вас температу́ра. _____ (принима́ть) э́ти табле́тки.

4. О́чень хо́лодно. _____ (наде́ть) ша́пку.

5. Я Вас не слы́шу. _____ (говори́ть) гро́мче.

6. Пора́ спать! _____ (вы́ключить) телеви́зор!

6. Short adjectives

Fill in the blanks using the correct form of the short adjectives. Note that all adjectives are given in the masculine form.

1. (за́нят)

   Оле́г всегда́ _____.

   Вчера́ Ни́на была́ _____.

   За́втра студе́нты бу́дут _____.

2. (бо́лен)

   Неда́вно Та́ня была́ _____.

   Не говори́те гро́мко. Ребёнок _____

   У Вас температу́ра. Вы _____.

3. (рад)

   Мы всегда́ _____ гостя́м.

   Он был _____, что встре́тил друзе́й.

   Ма́ша бу́дет _____ уви́деть Вас!

4. (гото́в)

   Спортсме́ны _____ к соревнова́ниям.

   За́втра ты бу́дешь _____ в 7 часо́в утра́?

   Вчера́ она́ была́ не _____ к уро́ку.

Reading Corner

7. Письмо́ в реда́кцию

Lena has a problem so she has written a letter to the magazine Рабо́тница for advice. Read her letter and the answer to it, and then respond to the statements.

Рабо́тница

Дорога́я Ле́на!

Всё зави́сит то́лько от тебя́. Во-пе́рвых, ну́жно соблюда́ть режи́м дня: во́время встава́ть, де́лать заря́дку и пра́вильно пита́ться. Пре́жде всего́, ну́жно отказа́ться от сла́дкого и бо́льше есть фру́ктов и овоще́й. И бо́льше движе́ния! Я уве́рена, в спортклу́бе ты найдёшь себе́ друзе́й. Ну́жно то́лько нача́ть! Бу́дешь здоро́вой и счастли́вой. Жела́ю уда́чи!

«Рабо́тница».

Дорога́я реда́кция!

Что мне де́лать? У меня́ больша́я пробле́ма. Мне всего́ 12 лет, а я уже́ така́я то́лстая! В шко́ле ребя́та дра́знят меня́. Я чу́вствую себя́ тако́й несча́стной! Я стара́юсь ничего́ не есть. Когда́ я хочу́ есть, я то́лько пью чай и ем пиро́жное. Я о́чень люблю́ сла́дкое: моро́женое, конфе́ты, пече́нье. Говоря́т, что ну́жно занима́ться спо́ртом. Но я така́я то́лстая, что я стесня́юсь ходи́ть в бассе́йн и́ли в спортза́л. Я всё вре́мя сижу́ до́ма и смотрю́ телеви́зор. У меня́ нет друзе́й. Мне о́чень ску́чно и одино́ко. Помоги́те мне, пожа́луйста, реши́ть мою́ пробле́му.
Ле́на. 12 лет. г. Во́логда.

Э́то так и́ли не так.

1. У Ле́ны нет пробле́м. _____

2. Она́ не лю́бит сла́дкое _____

3. Ле́на стесня́ется идти́ в спортза́л. _____

4. У неё мно́го друзе́й. _____

5. Всё зави́сит от Ле́ны. _____

6. Ей ну́жно соблюда́ть режи́м дня. _____

7. Ей ну́жно сиде́ть до́ма. _____

Write Here

8. Что́бы быть здоро́вым ну́жно...

Choose which activities given in the box will make you healthy and add some of your own recommendations.

Есть фру́кты, пить во́дку, е́здить на маши́не, де́лать заря́дку, пить сок, есть мно́го мя́са, кури́ть, пла́вать в бассе́йне, лежа́ть на со́лнце, до́лго смотре́ть телеви́зор, ходи́ть пешко́м, занима́ться спо́ртом, е́здить на велосипе́де.

_____

_____

_____

UNIT 19: Please can you help me?

Unit 19 is about how to ask what is going on and report what has happened, and how to express concern and give advice on what to do.

Match Game

1. Доро́жные зна́ки

Match the phrases with the traffic signs.

1. Сто́йте!
2. Осторо́жно, опа́сность!
3. Въезд запрещён.
4. Ско́льская доро́га.
5. Перекрёсток.
6. Светофо́р.

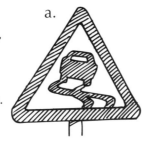
a.

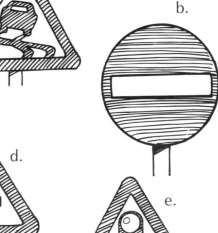
b.

c.

d.

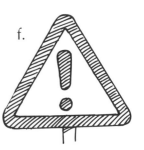
e.

f.

Talking Point

2. Что случи́лось?

Tanya has left her purse on the bus. She's very upset. Her mother suggests phoning the lost and found office. Read the conversation and then respond to the statements.

Ма́ма: Та́ня, что случи́лось? На тебе́ лица́ нет!

Та́ня: Э́то ужа́сно! Я забы́ла свою́ су́мку в авто́бусе.

Ма́ма: В како́м авто́бусе? Когда́?

Та́ня: Сего́дня у́тром, когда́ е́хала на заня́тия в авто́бусе №187.

Ма́ма: Не волну́йся! Сади́сь, вы́пей чаю и успоко́йся. Сейча́с что-нибу́дь приду́маем... Позвони́ в бюро́ нахо́док, мо́жет быть, они́ помо́гут. Вот их телефо́н.

           (Tanya calls the lost property office)

Та́ня: Алло́? Бюро́ нахо́док?

Го́лос: Да, слу́шаю Вас.

Та́ня:	Извини́те, Вам не передава́ли сего́дня же́нскую су́мочку. Я её случа́йно оста́вила в авто́бусе №187 сего́дня у́тром.
Го́лос:	Да, но к нам поступа́ет мно́го веще́й ежедне́вно. Подожди́те, я посмотрю́ в журна́ле регистра́ции. … Да, есть же́нская су́мочка.
Та́ня:	Чёрная, ко́жаная. В су́мке кошелёк, кра́сная космети́чка, очки́, си́няя ру́чка и па́пка с делов́ыми бума́гами.
Го́лос:	Всё ве́рно. Но Вам ну́жно прие́хать сюда́ с па́спортом и опозна́ть Ва́шу су́мку.
Та́ня:	Обяза́тельно. Я е́ду неме́дленно! Спаси́бо Вам большо́е. Я так ра́да!
Ма́ма:	Ну, вот, ви́дишь. Не быва́ет ху́да без добра́.

1. Когда́ и где Та́ня забы́ла су́мочку? _____

2. Куда́ ну́жно позвони́ть? _____

3. Что бы́ло в су́мке? _____

4. Когда́ Та́ня пое́дет за су́мкой? _____

5. Как Вы понима́ете посло́вицы: _____

«На тебе́ лица́ нет.» _____

«Нет ху́да без добра́.» _____

Word Power

3. Бюро́ нахо́док

All the clues in the puzzle are things held at the lost and found office. To find out who these things belong to, fill in the blanks in the sentences. The center column will tell you what Nina has lost.

1. Де́душка пло́хо ви́дит. Он потеря́л свой _____.

2. В магази́не кто-то потеря́л _____ с ме́лочью.

3. Воло́дя оста́вил _____ в рестора́не. В нём бы́ло мно́го де́нег.

4. Джим пое́хал фотографи́ровать и забы́л _____ в такси́.

5. Ива́н е́хал на рыба́лку и оста́вил _____ в электри́чке.

6. Я не зна́ю ско́лько вре́мени, я потеря́ла свой _____.

7. Идёт дождь. Где Ваш _____?

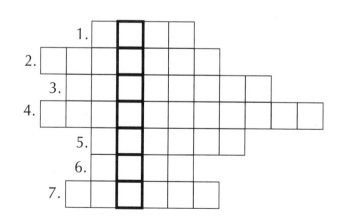

4. Incidents and accidents

Choose the appropriate caption from the box for each picture.

> Он упа́л. Он слома́л но́гу.
> Он уши́б па́лец. Велосипе́д слома́лся.
> Разби́ли окно́. Произошла́ ава́рия.
> Ча́шка разби́лась.

 1.
 2.
 3.
 4.

1. _____
2. _____
3. _____
4. _____
5. _____
6. _____
7. _____

Language Focus

5. Whose bag is this?

Fill in the blanks with the pronouns чей, чья, чьё, чьи and answer the questions using the nouns given in parentheses. Follow the example.

Example: (сестра́) *Чья* э́то су́мка?   *Это су́мка сестры́.* _____

1. (мать) _____ э́то зо́нтик? _____
2. (оте́ц) _____ э́то кре́сло? _____
3. (де́душка) _____ э́то очки́? _____
4. (студе́нты) _____ э́то кни́ги? _____
5. (сосе́ди) _____ э́то де́ти? _____
6. (друзья́) _____ э́то фотогра́фии? _____

Reading Corner

6. Происшествия

Read this report of an accident from the newspaper and then answer the questions.

Вчера ночью произошла авария на автомагистрали Москва–Владимир. Автобус столкнулся с грузовиком. Имеются человеческие жертвы: три человека погибли и 10 человек получили серьёзные ранения. Служба ГАИ и «Скорая помощь» быстро прибыли на место происшествия. Причиной аварии оказались: скользкая после дождя дорога и превышение скорости со стороны водителя грузовика. Ведётся дальнейшее расследование.

1. Когда произошла авария?

----

2. Как это произошло?

----

3. Какие человеческие жертвы?

----

4. Какие службы прибыли на помощь?

----

5. Какие причины аварии?

Write Here

7. Советы

Here's some advice about what you should do in Russia in an emergency. Complete these sentences using the names of the services given in the box.

| Милиция   Скорая помощь |
| Служба 01 |
| Медпункт   Ремонт часов |
| Бюро находок |

Example: *Если Вы потеряли чемодан, надо пойти в Бюро находок.*

1. Если произошла авария, надо ---

2. Если Вы ушибли руку, надо ---

3. Если у Вас украли деньги, надо ---

4. Если произошёл пожар, надо ---

5. Если у Вас сломались часы, надо ---

UNIT 20: Let's go out tonight.

This unit is about making arrangements and expressing your hopes and intentions.

Match Game

1. Negative expressions

Match the questions on the left with the answers on the right.

1. Куда́ Вы идёте сего́дня ве́чером? ( )   a. Никто́.
2. Кому́ Вы писа́ли об э́том? ( )   b. Ничего́.
3. О чём вы говори́ли? ( )   c. Никуда́.
4. Кого́ ты зна́ешь здесь? ( )   d. Ни о чём.
5. Когда он вернётся? ( )   e. Нигде́.
6. Что Вы слы́шали об э́том? ( )   f. Никогда́.
7. Где она́ рабо́тает? ( )   g. Никому́.
8. Кто реши́л зада́чу? ( )   h. Никого́.

Talking Point

2. Хорошо́ бы пойти́ в теа́тр!

Tanya and Andrei have decided to go to the theater on Saturday evening. They are looking at the list of what's on, trying to decide which theater to choose.

Андре́й: Что ты де́лаешь в суббо́ту ве́чером? Ты свобо́дна?

Та́ня: В о́бщем-то, да. Я бы хоте́ла пойти́ в теа́тр. Я не была́ там ты́сячу лет! А что ты предлага́ешь?

Андре́й: Мне бы хоте́лось пойти́ в кино́, посмотре́ть како́й-нибудь детекти́в. Но е́сли ты хо́чешь в теа́тр, то мы пойдём в теа́тр. Хорошо́ бы узна́ть что и где идёт.

Та́ня: Дава́й зайдём в театра́льную ка́ссу.

(at the box-office) Вот репертуа́р моско́вских теа́тров на э́тот ме́сяц. В Большо́м идёт о́пера «Евге́ний Оне́гин» в суббо́ту ве́чером. Бы́ло бы интере́сно послу́шать.

Андре́й: Ты же зна́ешь, что я никогда́ не хожу́ на о́перы, потому́ что я ничего́ не понима́ю и мне ску́чно. Я бы вы́брал что-нибудь поле́гче.

Та́ня: Мо́жет быть, посмо́трим «Все звёзды» во Дворце́ Спо́рта.

Андре́й: А что э́то тако́е?

Та́ня: Э́то музыка́льное шо́у на льду с уча́стием знамени́тых звёзд фигу́рного ката́ния. Я ду́маю, что тебе́ бы понра́вилось.

Андрей: Решено! Только вот, есть ли билеты? Было бы лучше, если бы мы подумали об этом раньше.

Таня: Я сейчас спрошу. (a few minutes later) Нам повезло! Вот два билета во Дворец Спорта на субботу на вечер.

Это так или не так?

1. Таня занята в субботу вечером. _____

2. Таня хотела бы послушать оперу. _____

3. Андрей никогда не ходит на оперы. _____

4. Они пойдут во Дворец Спорта на футбол. _____

5. Таня не купила билеты. _____

Word Power

3. Билет

Look at this theater ticket and answer the questions.

МАРИИНСКИЙ ТЕАТР
Санкт-Петербург
Театральная пл., 1

БЕЛЬЭТАЖ ЛОЖА № 19
ЛЕВАЯ СТОРОНА

Место № 6

ВЕЧЕР   Серия ТК

Цена 40.000 руб.

19 12 94

000005

1. Какой это театр? _____

2. Где находится этот театр? _____

3. Это партер или бельэтаж? _____

4. Левая или правая сторона? _____

5. Какой номер ложи? _____

6. Какое место? _____

7. Это билет на утро или на вечер? _____

8. Сколько стоит билет? _____

4. Find the verb

Complete the sentences using the verbs from the box in their correct form.

| аплодировать достать |
| игра́ть идти́ |
| понра́виться предпочита́ть |

1. Что _____ в Большом театре?

2. Очень трудно _____ билеты.

3. Вам _____ пьеса Чехова «Дядя Ваня»?

4. Что Вы _____: оперу, балет или драму?

5. Кто _____ роль Гамлета?

6. Зрители долго _____.

82

Language Focus

5. Понра́виться

Fill in the blanks using the correct form of the verb понра́виться.

1. Неда́вно мы бы́ли в теа́тре. Мне о́чень _____ спекта́кль.

2. Андре́ю бы́ло ску́чно. Ему́ не _____ о́пера.

3. Де́тям о́чень _____ арти́сты ци́рка.

4. Замеча́тельное представле́ние! А Вам _____?

5. Тури́стам _____ ру́сские пе́сни.

6. The conditional

Finish the sentences using the phrases given in parentheses. Remember that these sentences express unreal conditions, so you must use the past tense after бы in order to construct the conditional.

Example: Е́сли бы у меня́ был тала́нт, *я бы стал актёром* (ста́ть актёром).

1. Е́сли бы у неё бы́ло свобо́дное вре́мя, _____ (пойти́ в теа́тр).

2. Е́сли бы у него́ бы́ли де́ньги, _____ (купи́ть биле́ты).

3. Е́сли бы мы взя́ли такси́, _____ (не опозда́ть).

4. Е́сли бы я знал Ваш а́дрес, _____ (написа́ть письмо́).

Reading Corner

7. Москва́ – Ду́блин

Dublin is soon to be the venue for the Eurovision Song Contest. Read this interview with the Russian TV presenter, Tatiana Nikolaeva, in the newspaper Аргуме́нты и фа́кты and then answer the questions.

Журнали́ст: Тридца́того апре́ля в Ду́блине состои́тся очередно́й ко́нкурс пе́сни Евровиде́ния. Каки́е Ва́ши ожида́ния?

Татья́на: Э́то оди́н из са́мых прести́жных междунаро́дных ко́нкурсов. В э́том году́ Росси́я – впервы́е (!) – принима́ет уча́стие в нём.

Журнали́ст: Зна́чит есть шанс заяви́ть в на́ших возмо́жностях и тала́нтах?

Татья́на: Разуме́ется. Ведь и́менно на э́том ко́нкурсе весь мир узна́л и́мя знамени́той шве́дской гру́ппы «АББА».

Журнали́ст: Наве́рное, тру́дно де́лать пе́рвые шаги́ в Евро́пу?

Татья́на: Да, нелегко́. Ну́жно бы́ло изучи́ть стро́гие пра́вила ко́нкурса. Профессиона́льно провести́ наш отбо́рочный тур. Да и вре́мени бы́ло ма́ло.

Журналист: Кто же бу́дет представля́ть Росси́ю в Евро́пе?

Татья́на: Как изве́стно, победи́ла Мари́я Кац с пе́сней "Ве́чный стра́нник". Э́то тала́нтливая и неордина́рная певи́ца. Я ду́маю, что жюри́ сде́лало пра́вильный вы́бор.

Журнали́ст: Ну что ж, бу́дем наде́ятся на лу́чшее.

1. Како́й ко́нкурс состои́тся в Ду́блине?

----

2. Росси́я впервы́е принима́ет уча́стие в э́том ко́нкурсе?

----

3. Как э́тот ко́нкурс помога́ет молоды́м тала́нтам?

----

4. Каки́е тру́дности в подгото́вке к ко́нкурсу?

----

5. Почему́ Мари́я Кац бу́дет представля́ть Росси́ю?

Write Here

8. Questions about the theater

Write the questions to these answers.

1. _____ Да, я о́чень люблю́ теа́тр.

2. _____ Нет, я хожу́ в теа́тр не ча́сто.

3. _____ Я предпочита́ю класси́ческую му́зыку.

4. _____ Вчера́ мы бы́ли на конце́рте.

5. _____ Да, мне о́чень понра́вился.

6. _____ На́ши места́ бы́ли в парте́ре.

UNIT 21: Let's celebrate!

This unit is about Russian festivals and public holidays, greetings cards, tidying the home, and preparing for special occasions.

Match Game

1. С пра́здником!

Match the illustrations on the right to the phrases on the left.

1. С Но́вым го́дом!
2. С 8 Ма́рта!
3. С Днём Побе́ды!
4. С Днём Рожде́ния!
5. С новосе́льем!
6. С новорождённым!

Talking Point

2. За́втра 8-ое Ма́рта!

March 8 is a national holiday in Russia. On this day men honor their women by buying flowers and presents, as well as doing all the housework. Oleg Sokolov and his son Ivan are discussing their plans for this day. Ivan isn't very enthusiastic! Read their conversation and answer the questions.

Оле́г: Ива́н, пора́ встава́ть! Ты же зна́ешь, что у нас сего́дня мно́го дел.

Ива́н: Ой, как не хо́чется! Я бы ещё поспа́л немно́го.

Оле́г: За́втра 8-ое Ма́рта – междунаро́дный же́нский день. В э́тот день же́нщинам да́рят цветы́ и пода́рки.

Ива́н: Ах, да! Я совсе́м забы́л! Каки́е есть иде́и? Что мы бу́дем дари́ть ма́ме, ба́бушке и Та́не?

Оле́г: Обяза́тельно ну́жно купи́ть цветы́. Все же́нщины лю́бят цветы́. А вот насчёт пода́рков на́до поду́мать.

Ива́н: Что тут ду́мать! Я предлага́ю купи́ть: ба́бушке – коро́бку конфе́т, ма́ме – её люби́мые духи́, а Та́не - но́вую те́ннисную раке́тку.

Олéг:	Вот ви́дишь, как ты хорошó зна́ешь же́нские вку́сы. Что бы я без тебя́ де́лал!
Ива́н:	Я наде́юсь, все пробле́мы решены́?
Олéг:	Чуть не забы́л! В э́тот день мужчи́ны должны́ де́лать все дома́шние дела́. Ну́жно убра́ть кварти́ру, погла́дить бельё, купи́ть проду́кты, пригото́вить пра́здничный обе́д, пото́м вы́мыть посу́ду...
Ива́н:	Да... (sighs) Мо́жет быть, для же́нщин э́то пра́здник, а для меня́ про́сто сиби́рская ка́торга!
Олéг:	Не во́рчи. Дава́й за рабо́ту! Дел мно́го, а вре́мени ма́ло.

1. Почему́ Ива́ну пора́ встава́ть? ------------------------------------

2. Како́й пра́здник 8-ое Ма́рта? ------------------------------------

3. Что ну́жно купи́ть же́нщинам обяза́тельно? ------------------------------------

4. Что Ива́н предлага́ет купи́ть ба́бушке, ма́ме и Та́не? ------------------------------------

5. Что мужчи́ны должны́ де́лать 8-ого Ма́рта. ------------------------------------

6. Ива́ну нра́вится пра́здник 8-ое Ма́рта? ------------------------------------

Word Power

3. Дома́шние де́ла

Write captions to fit the pictures using the verbs from the box.

гла́дить	**гото́вить**	**мыть**
стира́ть	**убира́ть**	**чини́ть**

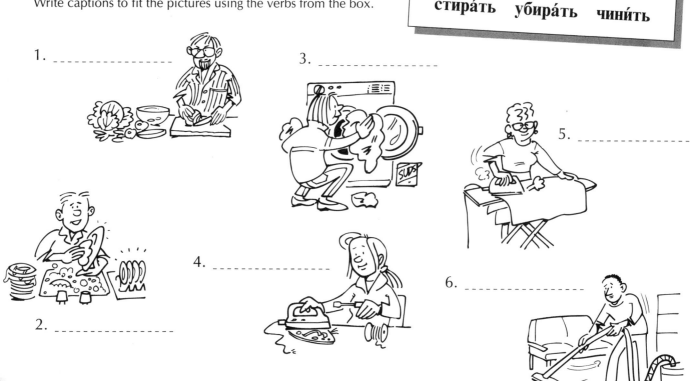

1. ------------------------------------

2. ------------------------------------

3. ------------------------------------

4. ------------------------------------

5. ------------------------------------

6. ------------------------------------

4. Посу́да

Which items in the box would you expect to find in a kitchen?

> автóбус блю́до вéтер ви́лка гóрод дéрево кастрю́ля кофéйник
> крова́ть кру́жка лóдка лóжка нóж пóезд самолёт сковорода́
> стака́н таре́лка тетра́дь ча́йник ча́шка

Language Focus

5. The dative plural

These people want to send greetings cards to their relatives and friends. Look at the chart and write sentences as in the example.

Example: *Олéг хóчет посла́ть 10 откры́ток коллéгам в Москву́.*

	Кто	Скóлько	Комý	Куда́
	Олéг	10	коллéги	Москва́
1.	Джим	2	роди́тели	Бóстон
2.	Нéнси	5	рóдственники	Амéрика
3.	Ли́дия	1	дéти	Ки́ев
4.	Вы	7	друзья́	Фра́нция
5.	Я	12	студéнты	Росси́я

6. Пра́здничный у́жин

The Sokolov family went out to a restaurant for a celebratory meal. Read the story and fill in the blanks using the prefixed form of the verb идти́ in the past tense. One has been done for you.

На пра́здник 8-ое Ма́рта мы реши́ли пойти в рестора́н. Вéчером мы краси́во одéлись и *пошли́* (went) в рестора́н. Когда́ мы _____ (were going) туда́, начался́ дождь. По дорóге в рестора́н мы _____ (popped into) в магази́н и купи́ли ма́ме цветы́. Мы _____ (entered) в рестора́н и сéли за стол. Официа́нт _____ (came up to) к на́шему столу́ и мы заказа́ли у́жин. Отéц хотéл кури́ть и он _____ (went outside) на пять мину́т. У́жин был óчень вку́сный. Мы _____ (left) из рестора́на в 11 часóв. Мы _____ (came) домóй пóздно.

Reading Corner

7. Ру́сские пра́здники

Read Nina's letter to her American penpal about Russian public holidays and then describe each of them as you remember them.

Но́вый год: ------------------------

Восьмо́е Ма́рта: ------------------------

Девя́тое Ма́я: ------------------------

Религио́зные пра́здники: ------------------

Write Here

8. Откры́тка

Here is a greetings card Jim sent to his Russian friend on her birthday. Can you write a similar one?

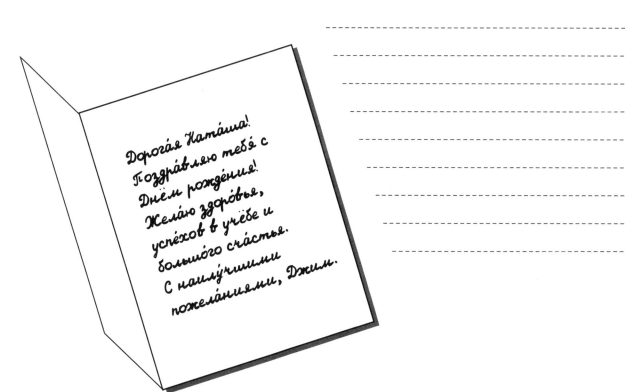

Здра́вствуй, дорога́я Ши́ла!
Я хочу́ рассказа́ть тебе́ о ру́сских национа́льных пра́здниках. Гла́вный и все́ми люби́мый пра́здник э́то Но́вый год. Мы украша́ем Нового́днюю ёлку и Дед Моро́з прино́сит пода́рки де́тям. В 12 часо́в бьют Кремлёвские кура́нты и лю́ди встаю́т, пьют шампа́нское и крича́т: «С Но́вым го́дом! С Но́вым сча́стьем!» Восьмо́е Ма́рта – междунаро́дный же́нский день. Э́то мой люби́мый пра́здник, потому́ что люблю́ получа́ть цветы́ и пода́рки. Девя́тое Ма́я – День Побе́ды. Э́то вели́кий пра́здник. В э́тот день лю́ди отдаю́т дань па́мяти 20 миллио́нам поги́бших в Вели́кую Оте́чественную войну́ 1941–1945. За после́дние го́ды религио́зные пра́здники Рождество́, Па́сха и други́е ста́ли популя́рны в ру́сских се́мьях. Лю́ди иду́т в це́рковь на торже́ственные пра́здничные слу́жбы.

Дорога́я Ната́ша!
Поздравля́ю тебя́ с Днём рожде́ния! Жела́ю здоро́вья, успе́хов в учёбе и большо́го сча́стья.
С наилу́чшими пожела́ниями, Джим.

UNIT 22: I haven't seen you for ages!

This unit is about past experiences, meeting old friends and exchanging news, and talking about your life.

Match Game

1. Opposites

Find the verb in the second group that is opposite in meaning to the verb in the first group.

встречáть говори́ть
жить заболéть
забывáть открывáть
покупáть посылáть
теря́ть стрóить

вспоминáть закрывáть
молчáть находи́ть
получáть попрáвиться
провожáть продавáть
разрушáть умирáть

Talking Point

2. Шкóльные друзья́

Tanya bumps into an old friend. Read their conversation and then respond to the statements.

Тáня: Скóлько лет, скóлько зим! Привéт, Мáша!

Мáша: Тáнечка! Вот так встрéча! Как ты поживáешь? Где ты, что ты, как ты?!

Тáня: Спаси́бо, неплóхо. Закáнчиваю университéт и скóро уéду из Москвы́. Мне предложи́ли интерéсную рабóту на Дáльнем Востóке. А ты как?

Мáша: Ничегó осóбенного. Пóсле шкóлы вы́шла зáмуж. У нас ужé двóе детéй: мáльчик и дéвочка.

Тáня: Как здóрово! Ты, навéрное, óчень счáстлива?

Мáша: Да, конéчно. Тóлько врéмени свобóдного совсéм нет. Ты ви́дишь когó-нибу́дь из нáшего клáсса?

Тáня: Иногдá ви́жу. Ты пóмнишь Ви́ктора, у котóрого мы бы́ли на свáдьбе? Он тепéрь слу́жит в áрмии.

Мáша: Конéчно, пóмню. В шкóле он хорошó игрáл на гитáре и пел англи́йские пéсни.

Тáня: А недáвно я ви́дела нáших учителéй Áнну Ивáновну и Пáвла Петрóвича. Они́ сказáли, что в шкóле тепéрь нóвый дирéктор.

Ма́ша:	Ой! Уже́ пять часо́в! Я должна́ бежа́ть! Зна́ешь что, приходи́ к нам в го́сти в сле́дующую суббо́ту. Посиди́м, поболта́ем, посмо́трим шко́льные фотогра́фии...
Та́ня:	Спаси́бо большо́е. Обяза́тельно приду́. Всего́ хоро́шего, Ма́ша.
Ма́ша:	Пока́. До суббо́ты!

Э́то так и́ли не так?

1. Та́ня давно́ не ви́дела Ма́шу. ------------------------------------

2. Ма́ше предложи́ли хоро́шую рабо́ту за грани́цей. ------------------

3. Ма́ша за́мужем и у неё дво́е дете́й. --------------------------------

4. Ма́ша по́мнит Ви́ктора. --

5. Неда́вно Та́ня встре́тила дире́ктора шко́лы. -----------------------

6. Та́ня пойдёт в го́сти в сле́дующее воскресе́нье. -----------------

Word Power

3. Да́ты

Look at the table, which gives the dates of some great Russian writers, and write dialogues, as in the example.

1.	А. С. Пу́шкин	1799–1837
2.	М. Ю. Ле́рмонтов	1814–1841
3.	Н. В. Го́голь	1809–1852
4.	Ф. М. Достое́вский	1821–1881
5.	Л. Н. Толсто́й	1828–1910
	А. П. Че́хов	1860–1904

Example: *Когда́ роди́лся Пу́шкин?*
В ты́сяча семьсо́т девяно́сто девя́том году́.
А когда́ он у́мер?
В ты́сяча восемьсо́т три́дцать седьмо́м году́.

4. Adverbs

Next to each adverb write its opposite.

1. хорошо́ ----------
2. бы́стро ----------
3. далеко́ ----------
4. ча́сто ----------
5. гро́мко ----------

6. наверху́ ----------
7. вперёд ----------
8. сюда́ ----------
9. неда́вно ----------
10. мно́го ----------

Language Focus

5. Do you remember ...?

Write short dialogues using the correct form of кото́рый/кото́рая.

1. Ты по́мнишь Ви́ктора?

Како́го?

Кото́рый учи́лся в на́шем кла́ссе.

У _____ была́ ста́ршая сестра́.

С _____ мы е́здили на Байка́л.

О _____ я тебе́ писа́ла.

К _____ мы ходи́ли на сва́дьбу.

_____ мы встре́тили в метро́.

2. Вы зна́етс Ната́шу?

Каку́ю?

Кото́рая жила́ в на́шем до́ме.

С _____ Вы говори́ли по телефо́ну.

У _____ была́ соба́ка.

О _____ я Вам расска́зывал.

К _____ мы ходи́ли в го́сти.

_____ мы ви́дели в па́рке.

6. Что он сказал?

Change the sentences into indirect speech as in the example. Remember that Russian indirect statements retain the tense of the original statement. Be sure to use the article ли in the general indirect statement.

Example: Она́ спроси́ла: «Что ты де́лаешь?»

Она́ спроси́ла, что я де́лаю. _____

Он спра́шивает: «Ты пойдёшь в кино́?»

Он спра́шивает пойду́ ли я в кино́. _____

1. Ма́ша спра́шивает: «Ты придёшь в го́сти?» _____

2. Та́ня говори́т: «Я пое́ду на Да́льний Восто́к». _____

3. Они́ сказа́ли: «В шко́ле но́вый дире́ктор». _____

4. Ма́ма сказа́ла: «Я ходи́ла в магази́н». _____

5. Тури́ст спра́шивает: «Ско́лько сто́ит матрёшка?» _____

6. Она́ спроси́ла: «Где Вы живёте?» _____

Reading Corner

7. I'm writing to apply for ...

Read Tanya's application letter for a new job and then write the questions she was asked at the interview.

1. _____

Я родила́сь в Москве́.

2. _____

Я зако́нчила университе́т в 1995 году́.

3. _____

Нет, я не за́мужем.

4. _____

Потому́ что я всегда́ мечта́ла там жить и рабо́тать.

5. _____

В свобо́дное вре́мя я люблю́ занима́ться спо́ртом и́ли слу́шать му́зыку.

6. _____

Да, я гото́ва к тру́дностям.

Уважа́емый господи́н дире́ктор!
Я прочита́ла объявле́ние в газе́те «Росси́я» о том, что в Ва́шей фи́рме есть вака́нсия экономи́ста.

Мне 23 го́да. Я родила́сь и вы́росла в Москве́. Но я всегда́ мечта́ла о Да́льнем Восто́ке. Мне ка́жется, что э́то бога́тый и необы́чный край. Я хоте́ла бы жить и рабо́тать там. В 1995 го́ду я зако́нчила Моско́вский госуда́рственный университе́т, фина́нсово-экономи́ческий факульте́т. У меня́ нет о́пыта рабо́ты, но у меня́ есть зна́ния и жела́ние. Я хочу́ найти́ своё ме́сто в жи́зни и испо́льзовать мои́ зна́ния в интере́сной рабо́те. Я понима́ю, что мне ну́жно ещё мно́гому учи́ться и я гото́ва к тру́дностям.

Я общи́тельный челове́к. Люблю́ спорт, теа́тр и класси́ческую му́зыку.

Наде́юсь, что мои́ зна́ния бу́дут поле́зны Ва́шей фи́рме.

С уваже́нием, Татья́на Соколо́ва.

Write Here

8. О себе́

Answer these questions about yourself.

1. Когда́ и где Вы роди́лись?

_____

2. Когда́ Вы пошли́ в шко́лу?

_____

3. Кем Вы мечта́ли быть?

_____

4. Вы у́читесь и́ли рабо́таете?

_____

5. Вы за́мужем (жена́ты)?

_____

6. Вы ча́сто е́здили за грани́цу? Куда́?

_____

7. Где Вы предпочита́ете отдыха́ть?

_____

8. Ско́лько лет Вы изуча́ете ру́сский язы́к?

_____

UNIT 23: Come again!

This unit is about your reminiscences and travel experiences.

Match Game

1. Question words

Match the questions on the left to the answers on the right.

1. Кому́ Вы купи́ли сувени́ры?	( )	a. В А́нглию.
2. Кого́ ты провожа́ешь?	( )	b. Вот он.
3. Куда́ Вы посла́ли телегра́мму?	( )	c. В сле́дующем году́.
4. О чём он расска́зывает?	( )	d. В 11 часо́в утра́.
5. С кем она́ говори́т по телефо́ну?	( )	e. О Росси́и.
6. Во ско́лько самолёт?	( )	f. Роди́телям, сестре́ и бра́ту.
7. Где Ваш бага́ж?	( )	g. Друзе́й.
8. Когда́ вы прие́дете опя́ть?	( )	h. С колле́гами.

Talking Point

2. Приезжа́й к нам опя́ть!

Jim is spending his last evening in Russia with his Russian friends. Read their conversation and then answer the questions.

Ната́ша: О́чень жаль, что ты за́втра уезжа́ешь. Во ско́лько самолёт?

Джим: В 11 часо́в утра́. На́до заказа́ть такси́.

Артём: Не на́до. Мы пое́дем в аэропо́рт на мое́й маши́не. Мо́жет быть, ты хо́чешь зае́хать в магази́н купи́ть после́дние сувени́ры?

Джим: Нет, спаси́бо. Я уже́ купи́л сувени́ры: ма́ме самова́р, отцу́ – деревя́нную ло́жку, сестре́ – матрёшку, дру́гу – кни́гу о Москве́.

Та́ня: Ну, молоде́ц! Никого́ не забы́л! А тепе́рь, по ста́рому ру́сскому обы́чаю, дава́йте все за сто́л! У меня́ всё гото́во.

Артём: Я предлага́ю тост за на́шего англи́йского дру́га Джи́ма! Жела́ю ему́ счастли́вого пути́ и всего́ са́мого до́брого. Наде́юсь, тебе́ понра́вилось в Росси́и?

Джим:	О́чень понра́вилось. Всё бы́ло так интере́сно! Когда́ я прие́ду в Бо́стон, я расскажу́ мои́м друзья́м о ва́ших прекра́сных музе́ях, теа́трах и, коне́чно, о ру́сских лю́дях. Я всегда́ бу́ду вспомина́ть Росси́ю. Спаси́бо вам за всё!
Артём:	У меня́ есть фотоаппара́т. Дава́йте фотографи́руемся на па́мять.
Наташа:	Отли́чная иде́я! Мы бу́дем скуча́ть по тебе́, Джим. Не забыва́й нас и пиши́ поча́ще пи́сьма.
Джим:	Обяза́тельно напишу́.
Та́ня:	Приезжа́й к нам опя́ть. Мы бу́дем о́чень ра́ды.

Э́то так и́ли не так?

1. Джим уезжа́ет сего́дня ве́чером. ---------------------------------

2. Самолёт вылета́ет в 11 часо́в утра́. ---------------------------------

3. Джим уже́ купи́л сувени́ры. ---------------------------------

4. Артём предлага́ет тост за Ната́шу. ---------------------------------

5. Артём предлага́ет пойти́ погуля́ть. ---------------------------------

6. Джим бу́дет писа́ть пи́сьма в Росси́ю. ---------------------------------

Word Power

3. Санкт-Петербу́рг

During his stay in Russia Jim went to St. Petersburg to get acquainted with the sights of the famous city. Figure out which word is missing in each sentence and use it to complete the crossword puzzle.

1. Са́мый изве́стный музе́й Санкт-Петербу́рга называ́ется _____.

2. Строи́тельство Санкт-Петербу́рга начало́сь с Петропа́вловской _____.

3. На пло́щади стои́т _____ А С Пу́шкину.

4. Гла́вная це́рковь го́рода Исаа́киевский _____.

5. Ру́сский царь жил в Зи́мнем _____.

6. За 900 дней вое́нной блока́ды Ленингра́да 650 ты́сяч челове́к похоро́нены на Пискарёвском _____.

7. Санкт-Петербу́рг стои́т на реке́ _____.

8. В Ру́сском музе́е нахо́дится карти́нная _____ ру́сской жи́вописи.

Center column:

На пло́щади Побе́ды нахо́дится _____ поги́бшим в 1941–1945 года́х ленингра́дцам.

Language Focus

4. Поездка

Read the story about Jim's trip to St. Petersburg and fill in the blanks with the prefixed form of the verb éхать in the past tense. One has been done for you.

Джим **поéхал** на экскýрсию в Санкт-Петербýрг. Он _____(arrived) в Санкт-Петербýрг рáно ýтром и егó встрéтила Натáша. Они взяли такси и _____(went) в гостиницу. По дорóге они _____(popped in) в театрáльную кáссу. Гостиница былá на другóм берегý реки и они _____(crossed) чéрез мост. Наконéц они _____(arrived at) до гостиницы. Джим хорошó провёл врéмя в Санкт-Петербýрге. Он _____(left) из Санкт-Петербýрга обрáтно в Москвý в пятницу.

5. Plural adjectives and pronouns

Fill in the blanks with the required form of the adjectives and pronouns given in parentheses.

Example: Джим бýдет вспоминáть о **свойх рýсских** (свой рýсские) друзьях.

1. Мы лю́бим гуля́ть по _____(стáрые москóвские) ýлицам.
2. _____(Вáши инострáнные) турńстам понрáвилась экскýрсия по гóроду?
3. Недáвно я встрéтил _____(нáши шкóльные) учителéй.
4. В Санкт-Петербýрге мнóго _____(интерéсные) музéев.
5. Я надéюсь встрéтиться с _____(мой англńйские) коллéгами.

Reading Corner

6. Путешéствуте с нáми!

Look at this advertisement by a Russian travel agency advertising a trip to St. Petersburg and then write questions to the answers given.

Вы бывáли в Санкт-Петербýрге? Нет, ещё? Вы мнóгое теря́ете! Нáша фńрма «Сéвертур» предлагáет Вам уникáльное путешéствие в знаменńтый гóрод на Невé. В комфортáбельных автóбусах нáши экскурсовóды провезýт Вас по прекрáсным площадя́м и проспéктам севéрной столńцы. На экскýрсии по гóроду Вы увńдите Петропáвловскую крéпость, Исаáкиевский собóр, легендáрный крéйсер «Аврóра», посетńте Пискарёвское мемориáльное клáдбище. В прогрáмме тýра посещéние Эрмитáжа, где Вы познакóмитесь с произведéниями зáпадно-европéйской жńвописи и скульптýры, пройдётесь по роскóшным зáлам Зńмнего Дворцá. А как приятно прокатńться на кáтере по рéкам и канáлам Санкт-Петербýрга!

Мы Вас ждём!

Спрáвки по телефóнам: (095) 317-18-44
(095) 317-18-69

1. _____

Эта экску́рсия сто́ит 150 ты́сяч рубле́й.

2. _____

По́езд отправля́ется в Санкт-Петербу́рг в 10 часо́в ве́чера.

3. _____

Тури́сты бу́дут жить в гости́нице.

4. _____

Да, мо́жно заказа́ть но́мер на одного́.

5. _____

Да, в програ́мме есть экску́рсия в Эрмита́ж.

6. _____

Ве́чером мо́жно пойти́ в теа́тр и́ли в рестора́н.

 Write Here

7. Путеше́ствие за грани́цу

Write about your own experiences of travel abroad. The phrases below will help you.

Example: *Е́здил(а) во Фра́нцию? Нет, я е́здил(а) в Испа́нию про́шлым ле́том.*

Е́здил(а) во Фра́нцию?

_____

На самолёте/на по́езде?

_____

Жил(а) в гости́нице/у друзе́й?

_____

Ходи́л(а) на экску́рсии?

_____

Осмотре́л(а) достопримеча́тельности?

_____

Нашёл (нашла́) но́вых друзе́й?

_____

О́чень хорошо́ провёл (провела́) вре́мя?

_____

UNIT 24: Review

This unit gives you a chance to review all the work you have done in the previous units.

1. Find the word

What are these words?

1. а_ _ _ _ я	маши́ны столкну́лись
2. в_ _ _ _ _ _ _ д	тра́нспорт
3. _ _ _ _ é_ _	ми́тинг
4. _о_о_о_	контра́кт
5. к_ _ _ _ _ _ы	о́тдых для дете́й
6. к_ _ _ _ _ _ _ _ _а	делова́я пое́здка
7. _ _ _ е_ё_	су́мка для де́нег
8. л_ _ _ _ _ _ _о	Вы принима́ете, когда́ Вы больны́
9. м_ _ _ _ _ р_ _ _ _	интернациона́льный
10. п_ _ _ _ _ _к	монуме́нт
11. _о_а_о_	Вы да́рите в пра́здник
12. р_ _ _ _ _ _ _ _е	гра́фик рабо́ты
13. _е_ _а_а	объявле́ние о но́вом

2. Opposites

Write down the opposites of these words.

1. мно́го	_ _ _ _ _ _ _ _ _	6. гро́мко	_ _ _ _ _ _ _ _ _
2. приходи́ть	_ _ _ _ _ _ _ _ _	7. приезжа́ть	_ _ _ _ _ _ _ _ _
3. тёмный	_ _ _ _ _ _ _ _ _	8. наверху́	_ _ _ _ _ _ _ _ _
4. всегда́	_ _ _ _ _ _ _ _ _	9. по́здно	_ _ _ _ _ _ _ _ _
5. день	_ _ _ _ _ _ _ _ _	10. всё	_ _ _ _ _ _ _ _ _

3. Negatives

Complete the sentences choosing the correct negative adverb. One has been done for you.

1. Мне ску́чно. Я никого́ здесь не зна́ю.

2. Он всё вре́мя сиди́т до́ма. Он _ _ _ _ _ _ _ _ _ не хо́дит.

3. Повтори́те, пожа́луйста, ещё раз. Я _ _ _ _ _ _ _ _ _ не по́нял.

4. Это секрет. Вы _____ не говорите!

5. Дедушка _____ не знает, где его очки.

4. Numerals

Write out the numbers in full.

Example: *18 лет. Восемнадцать лет.* _____

1. 44 года _____

2. 138 рублей _____

3. 450 человек _____

4. 2256 книг _____

5. 1-ый урок _____

6. 9-ое мая _____

7. В 1945-ом году _____

8. 15-ого сентября 1977 года _____

5. Question words

Fill in the blanks with the appropriate question words and then match
the questions to the answers.

1. _____ ты поедешь в следующем году?	( )	a. Сейчас 5 часов.
2. _____ отходит поезд?	( )	b. Плохо. Я заболел.
3. _____ ты не хочешь суп?	( )	c. О России.
4. _____ сейчас времени?	( )	d. Это говорит Йра.
5. _____ сегодня погода?	( )	e. Таню и Артёма.
6. _____ это говорит?	( )	f. Друзьям.
7. _____ случилось?	( )	g. Погода хорошая.
8. _____ Вы себя чувствуете?	( )	h. С женой.
9. С _____ Вы пойдёте в театр?	( )	i. Потому что, не люблю суп.
10. О _____ он рассказывал?	( )	j. Произошла авария.
11. _____ Вы купили сувениры?	( )	k. В Англию.
12. _____ ты видел на дискотеке?	( )	l. В 11 часов утра.

6. Comparison

Write sentences using the adjectives given in parentheses in the comparative form as in the example.

Example: *Тане 19 лет. Ивану 12 лет. (старший)* _____
Таня старше, чем Иван. _____

1. Антóн 190 см. Вѝктор 178 см. (высóкий)

----

2. Плáтье 150 тѝсяч руб. Свѝтер 100 тѝсяч руб. (дорогóй)

----

3. Самолёт 600км/час. Пóезд 140км/час. (бѝстрый)

----

4. Москвá 1147 год. Санкт-Петербýрг 1703 год. (стáрый)

----

5. Россѝя +18С. Áнглия +23С. (холóдный)

----

7. Future tense

Fill in the blanks with the correct verbs in the future tense.

Example: Сегóдня Джим *бýдет писáть* письмó в Россѝю.

Он *напѝшет* письмó и пойдёт на пóчту. (писáть/написáть)

1. Пóсле обéда Олéг _____. Он немнóго _____ и бýдет рабóтать в садý. (отдыхáть/отдохнýть)

2. Пóсле шкóлы Ивáн _____ урóки. Когдá он _____ урóки, он пойдёт гулять. (дéлать/сдéлать)

3. В воскресéнье мы _____ футбóл по телевѝзору. Мы _____ футбóл и потóм бýдем ýжинать. (смотрéть/посмотрéть)

4. Сегóдня вéчером я _____ эту кнѝгу. Когдá я _____ кнѝгу, я пойдý спать. (читáть/прочитáть)

8. Verbs of motion

Fill in the blanks using the correct form of the verbs given in parentheses.

1. В прóшлую суббóту мы _____ (ходѝть) в кинó.

2. Когдá студéнты _____ (идтѝ) на лéкцию, на ýлице был дождь.

3. Зáвтра вéчером Тáня _____ (пойтѝ) в теáтр.

4. Обѝчно я _____ (приходѝть) на рабóту в 9 часóв и _____ (уходѝть) с рабóты в 5 часóв вéчера.

5. Вчерá мой друг _____ (уéхать) в Лóндон.

6. Эти турѝсты _____ (приéхать) из Амéрики.

9. Giving advice

Read the sentences and then give advice on what to do in each situation using the words from the box.

бюро́ нахо́док   врач   зонт
мастерска́я   по́чта   расписа́ние

Example: _Идёт дождь. Надо взять зонт._ _____

1. Я потеря́ла су́мку. _____

2. Я не зна́ю во ско́лько отхо́дит по́езд. _____

3. У меня́ высо́кая температу́ра. _____

4. У меня́ слома́лись часы́. _____

5. Я хочу́ посла́ть посы́лку. _____

10. Test yourself

Translate these sentences into Russian.

1. What's the weather like today? It's raining.

   _____

2. I'm bored because I don't know anybody here.

   _____

3. She's got blue eyes and fair hair.

   _____

4. What date is it today? Today is May 10.

   _____

5. No luck! They don't have English newspapers.

   _____

6. It's late. It's time to go to bed.

   _____

7. I've got a headache.

   _____

8. What happened? I fell over and broke my arm.

   _____

9. What are you talking about? We're talking about our Russian friends.

   _____

10. A.S. Pushkin was born in 1799.

   _____

Answer Key

UNIT 1

1. 1. b 2. f 3. d 4. e 5. c 6. a

2. 1. свобо́дно 2. бизнесме́н 3. немно́го 4. Бо́стона
   5. краси́вый

3. 1. Что э́то? Э́то письмо́.
   2. Что э́то? Э́то ру́чка.
   3. Что э́то? Э́то окно́.
   4. Кто э́то? Э́то врач.
   5. Что э́то? Э́то кни́га.
   6. Что э́то? Э́то дом.

4. 1. оди́н 2. два 3. три 4. четы́ре 5. пять 6. шесть
   7. семь 8. во́семь 9. де́вять 10. де́сять

5. М: уро́к, ма́льчик, друг, автомоби́ль, календа́рь, геро́й
   F: ка́сса, подру́га, страна́, пе́сня, земля́, ночь, мать
   N: кино́, письмо́, ме́сто, со́лнце, пла́тье

6. 1. Где ка́сса? Вот здесь. Где метро́? Вон там.
   2. Где дом? Вот здесь. Где заво́д? Вон там.
   3. Где шко́ла? Вот здесь. Где магази́н? Вон там.

7. 1. Её зову́т Ни́на. 2. Она́ врач. 3. Ей 29 лет. 4. Она́ из
   Москвы́. 5. Да, она́ говори́т по-англи́йски.

8. Free answers.

UNIT 2

1. 1. c 2. a 3. b 4. d 5. f 6. e

2. моя́ Ва́ша моя́ её Ва́ши мой ей ему́ Вас меня́

3. 1. Э́то оте́ц. Ему́ со́рок лет.
   2. Э́то мать. Ей три́дцать во́семь лет.
   3. Э́то дочь. Ей девятна́дцать лет.
   4. Э́то сын. Ему́ двена́дцать лет.
   5. Э́то ба́бушка. Ей пятьдеся́т де́вять лет.
   6. Э́то де́душка. Ему́ шестьдеся́т оди́н год.

4. семья́, роди́тели, оте́ц, мать, ба́бушка, де́душка, сестра́,
   тётя, дя́дя

5. 1. семья́ 2. жены́ 3. ма́тери 4. му́жа 5. брат 6. дете́й
   7. дочь

6. 1. ю 2. ешь 3. ет 4. ет 5. ем 6. ете 7. ют

7. в шко́ле, в теа́тре, в магази́не, в па́рке, в ко́мнате, в
   библио́теке
   на заво́де, на стадио́не, на по́чте, на у́лице, на рабо́те,
   на вокза́ле

8. 1. Нет, э́то не так. Он его́ друг.
   2. Нет, э́то не так. Воло́дя рабо́тает в фи́рме «Де́льта».
   3. Да, э́то так. Йра домохозя́йка.
   4. Нет, э́то не так. В семье́ две де́вочки и ма́льчик.
   5. Да, э́то так. Э́то хоро́шая и дру́жная семья́.

9. Free answers.

UNIT 3

1. 1. c 2. d 3. f 4. e 5. a 6. b 7. g

2. но́вая, хоро́шая, больша́я, обы́чная, све́тлая, высо́кий,
   удо́бная, ру́сский

3. балко́н, буфе́т, дива́н, ла́мпа, окно́, стол, стул,
   телеви́зор

4. 1. ва́нная 2. нож 3. крова́ть 4. стол 5. душ

5. 1. лифт 2. телефо́на 3. телеви́зора 4. маши́ны
   5. ве́шалка 6. мы́ла

6.
Masculine	Feminine	Neuter
стол-столы́	ла́мпа-ла́мпы	окно́-о́кна
шкаф-шкафы́	ма́ма-ма́мы	письмо́-пи́сьма
телеви́зор-телеви́зоры	карти́на-карти́ны	
слова́рь-словари́	ня́ня-ня́ни	мо́ре-моря́
календа́рь-календари́	земля́-зе́мли	пла́тье-пла́тья
автомоби́ль-автомоби́ли	пе́сня-пе́сни	
ма́льчик-ма́льчики	кни́га-кни́ги	
стари́к-старики́	де́вочка-де́вочки	
утю́г-утюги́		
нож-ножи́	дверь-две́ри	
каранда́ш-карандаши́	ночь-но́чи	
плащ-плащи́		
мяч-мячи́		
орех-оре́хи		

7. 1. лежи́т 2. стои́т 3. виси́т 4. стоя́т 5. вися́т 6. лежа́т

8. 1. Она́ живёт в кварти́ре в Москве́.
   2. Ко́мната небольша́я, но све́тлая и удо́бная.
   3. У стены́ стои́т крова́ть.
   4. На полу́ лежи́т ковёр.
   5. Ме́жду шка́фом и окно́м стои́т пиани́но.
   6. Её люби́мые копози́торы Чайко́вский и Мо́царт.

9. 1. Э́то но́вая кварти́ра? 2. У Вас есть лифт? 3. У Вас
   есть гара́ж? 4. Метро́ далеко́?

UNIT 4

1. 1. c 2. d 3. a 4. b 5. f 6. e

2. 1. Нет, э́то не так. Гости́ница «Ко́смос» далеко́.
   2. Да, э́то так.
   3. Нет, э́то не так. Джим не зна́ет, где метро́.
   4. Да, э́то так.
   5. Нет, э́то не так. У Джи́ма есть план.

3. 1. в ка́ссе 2. в кинотеа́тре 3. на по́чте 4. в шко́ле
   5. в музе́е 6. на доро́ге

4. 1. Врач идёт в поликли́нику.
   2. Рабо́чий идёт на заво́д.
   3. Инжене́р идёт в институ́т.

4. Тракторист е́дет на фе́рму.
5. Кло́ун е́дет в цирк.

5. 1. Бо́стоне 2. библиоте́ку 3. рабо́ту 4. магази́н
5. фи́рме 6. па́рке

6. 1. Куда́ 2. Где 3. Где 4. Куда 5. Куда́ 6. Где

7. 1. бассе́йн 2. спортза́л 3. телефо́ны 4. кафе́
5. библиоте́ка 6. магази́н «Берёзка» 7. дива́ны, кре́сла,
столы́ 8. туале́т 9. рестора́н

8. 1. Я е́ду на велосипе́де в Университе́т.
2. Оте́ц е́дет на маши́не в о́фис.
3. Мать е́дет на авто́бусе в поликли́нику.
4. Брат идёт пешко́м в шко́лу.
5. Ба́бушка идёт пешко́м в магази́н.
6. Де́душка е́дет на велосипе́де в клуб.

UNIT 5

1. 1. a 2. f 3. e 4. c 5. d 6. g 7. b

2. пожива́ете де́лаете отдыха́ем де́лают гуля́ют чита́ет
рабо́таешь рабо́таю приходи́те

3. 1. Оте́ц чита́ет газе́ту.
2. Мать пи́шет письмо́.
3. Ива́н смо́трит телеви́зор.
4. Ба́бушка спит в кре́сле.
5. Де́душка и сосе́д игра́ют в ша́хматы.

4. 2. полседьмо́го утра́ 4. без че́тверти семь 5. в семь
часо́в 3. че́тверть девя́того 10. де́сять мину́т деся́того
1. че́тверть второ́го 7. без десяти́ шесть 12. в шесть
часо́в ве́чера 9. в семь часо́в 11. без двадцати́ во́семь
6. пять мину́т деся́того 8. полоди́ннадцатого

5. 1. идёшь, иду́ 2. идёшь, иду́, хо́дишь, хожу́, ходи́ть
3. идёте, иду́, хо́дите,

6. 1. Как 2. Ско́лько 3. Где 4. Когда́ 5. Что 6. Куда́
7. Кака́я

7. за в на от на у с по́сле над в по в у

8. Free answers.

UNIT 6

1. большо́й–ма́ленький высо́кий–ни́зкий хоро́ший–плохо́й
то́лстый–то́нкий ста́рый–молодо́й
откры́тый–закры́тый коро́ткий–дли́нный

2. 1. Да, э́то так.
2. Нет, э́то не так. Ей нра́вятся рома́ны Достое́вского.
3. Да, э́то так.
4. Да, э́то так.
5. Нет, э́то не так. Она́ не о́чень лю́бит Москву́.

3. 1. Оле́г Никола́евич лю́бит пла́вать.
2. Ива́н лю́бит игра́ть в футбо́л.
3. Вади́м лю́бит игра́ть в ша́хматы.
4. Лари́са Па́вловна лю́бит чита́ть.
5. Та́ня лю́бит петь.
6. Све́та лю́бит танцева́ть.

4. 1. Артём лю́бит пи́во, он не лю́бит шампа́нское.
2. Лари́са лю́бит чай, она́ не лю́бит ко́фе.
3. Ива́н лю́бит моро́женое, он не лю́бит молоко́.

4. Тама́ра лю́бит ры́бу, она́ не лю́бит мя́со.
5. Никола́й лю́бит во́дку, он не лю́бит моро́женое.

5. 1. Мне 2. Тебе́ 3. Ему́ 4. Ей 5. Нам 6. Вам 7. Им
Free answers.

6. Free answers.

7. полити́ческий, экономи́ческий, культу́рный, большо́е,
шу́мный, родно́й, широ́кие, зелёные, свобо́дное,
кра́сные, дорога́я, до́брое.

8. Free answers.

UNIT 7

1. 1. c зелёная трава́ 2. g жёлтый лимо́н 3. a бе́лый снег
4. b чёрный у́голь 5. d голубо́е не́бо
6. e кра́сный помидо́р 7f се́рый слон

2. 1. На́до купи́ть пода́рок ма́ме.
2. Ма́ма лю́бит све́тлые тона́.
3. Потому́, что там о́чень до́рого.
4. Она́ хо́чет купи́ть голубу́ю и́ли бе́лую блу́зку.
5. Во́семьдесят ты́сяч рубле́й.

3. 1. пла́тье 2. пальто́ 3. костю́м 4. брю́ки 5. руба́шка
6. ку́ртка 7. ту́фли 8. ша́пка 9. сви́тер 10. шарф

4. 1. две́сти пятьдеся́т рубле́й 2. пятьсо́т рубле́й 3. две
ты́сячи рубле́й 4. двена́дцать ты́сяч рубле́й 5. два́дцать
три ты́сячи рубле́й 6. семьдеся́т одна́ ты́сяча рубле́й
7. сто три́дцать четы́ре ты́сячи рубле́й 8. три́ста
пятьдеся́т шесть ты́сяч рубле́й 9. четы́реста девяно́сто
ты́сяч рубле́й 10. оди́н миллио́н рубле́й

5. Suggested answers:
1. Како́е э́то пла́тье? Э́то вече́рнее пла́тье.
2. Како́е э́то пальто́? Э́то зи́мнее пальто́.
3. Како́й э́то костю́м? Э́то шерстяно́й костю́м.
4. Каки́е э́то брю́ки? Э́то мо́дные брю́ки.
5. Каки́е э́то ту́фли? Э́то ле́тние ту́фли.
6. Како́й э́то шарф? Э́то шёлковый шарф.
7. Кака́я э́то су́мка? Э́то ко́жаная су́мка.

6. 1. Кому́ он купи́л деревя́нную ло́жку? Па́пе.
2. Кому́ он купи́л матрёшку? Сестре́.
3. Кому́ он купи́л компа́кт-диск? Бра́ту.
4. Кому́ он купи́л кни́гу? Дру́гу.

7. 1. Фи́рма называ́ется «Гра́ни».
2. Она́ нахо́дится в Москве́.
3. Да, фи́рма реализу́ет и́мпортные това́ры.
4. О́бувь, костю́мы, ку́ртки, парфюме́рию.
5. Специали́сты по торго́во-комме́рческой де́ятельности.

8. 1. У вас есть матрёшки? 2. Ско́лько сто́ит самова́р?
3. Како́го цве́та пла́тье? 4. Како́й у Вас разме́р?
5. Куда́ плати́ть?

UNIT 8

1. 1. f 2. g 3. b 4. e 5. c 6. a 7. d

2. провёл ходи́л рабо́тал де́лал звони́л (не́) было
ходи́л встре́тил ви́дел танцева́ли смея́лись бы́ло
был пригласи́ли е́здили провели́ де́лал был ходи́л
смотре́л писа́л позвони́л гуля́ли

3. 1. футбо́л 2. маши́не 3. носки́ 4. письмо́ 5. газе́ту
6. музе́й 7. те́ннис Center column: бассе́йн.

4. 1. У него́ был велосипе́д. 2. У нас бы́ли друзья́.
   3. У неё бы́ло письмо́. 4. У Вас была́ да́ча? 5. У них
   бы́ли де́ти. 6. У тебя́ был биле́т?

5. 1. бы́ли, бы́ли 2. был, был 3. ходи́л, ходи́л 4. ходи́ла,
   ходи́ла

6. 1. Я встре́тил дру́га.
   2. Он хорошо́ зна́ет бра́та.
   3. Учи́тель спра́шивает студе́нта.
   4. Я жду подру́гу.
   5. Она́ давно́ не ви́дела сестру́.

7. основа́л на́чал помога́л откры́ли подари́л

8. Free answers.

UNIT 9

1. 1. e 2. d 3. b 4. f 5. a 6. c

2. пое́дем посмо́трим бу́дем загора́ть бу́дем купа́ться
   бу́дем жить бу́дем встава́ть бу́дем бе́гать бу́дем
   обе́дать бу́ду гото́вить бу́дешь помога́ть бу́дем
   де́лать бу́дем гуля́ть бу́дем танцева́ть бу́дет

3. 1. автобус 2. парохо́д 3 автомоби́ль 4. по́езд
   5. самолёт

4. 1. бу́дет 2. бу́дете 3. бу́дет 4. бу́дешь 5. бу́дем
   6. бу́дут Free answers.

5. | Present | Future |
   | --- | --- |
   | я иду́ | я пойду́ |
   | он идёт | он пойдёт |
   | Вы идёте | Вы пойдёте |
   | я е́ду | я пое́ду |
   | они́ е́дут | они́ пое́дут |
   | она́ е́дет | она́ пое́дет |
   | мы е́дем | мы пое́дем |

6. 1. жено́й 2. соба́кой 3. дру́гом 4. учи́телем
   5. молоко́м 6. хле́бом

7. 1. Да, э́то так.
   2. Нет, э́то не так. Оле́г о́чень лю́бит пла́вать.
   3. Нет, э́то не так. Лари́са не бу́дет загора́ть, потому́
   что э́то вре́дно.
   4. Да, э́то так.
   5. Нет, э́то не так. Они́ пое́дут на да́чу в дере́вню.
   6. Да, э́то так.

8. 1. Анто́н пое́дет в спортла́герь с дру́гом. Там они́
   бу́дут игра́ть в те́ннис.
   2. Та́ня пое́дет на Кавка́з с Андре́ем. Там они́ бу́дут
   ходи́ть в го́ры.
   3. Ли́да пое́дет в дере́вню с сы́ном. Там они́ бу́дут
   собира́ть я́годы.
   4. Бори́с пое́дет на да́чу с жено́й. Там они́ бу́дут
   рабо́тать в саду́.
   5. Free answer.

UNIT 10

1. 1. Ры́ба 2. Молоко́ 3. Бу́лочная 4. О́вощи и фру́кты
   5. Конди́терская 6. Цветы́

2. 1. Да, э́то так.
   2. Нет, э́то не так. Рестора́н закры́т.
   3. Нет, э́то не так. В кафе́ хорошо́ гото́вят и не так
   до́рого.

4. Нет, э́то не так. Ната́ша не хо́чет борщ.
   5. Да, э́то так.
   6. Нет, э́то не так. Они́ бу́дут пить минера́льную во́ду.

3. буха́нка хле́ба ба́нка варе́нья 1 литр молока́ пли́тка
   шокола́да 250 гр. ма́сла буты́лка вина́ 1 буты́лка
   лимона́да 2 кг карто́шки 1 па́чка чая 1 кг. капу́сты
   200 гр. сы́ра полкило́ морко́ви

4. коро́бка конфе́т па́чка ча́я буха́нка хле́ба литр
   минера́льной воды́ буты́лка вина́ ба́нка мёда

5. 1. оди́н две 2. одна́ одна́ 3. две два 4. одна́ одна́
   оди́н 5. оди́н два 6. оди́н две две

6. 1. литр молока́ 2. пли́тка шокола́да 3. буты́лка воды́
   4. па́чка ма́сла 5. ба́нка варе́нья 6. ба́нка ры́бы
   7. килогра́мм мя́са 8. полкило́ сы́ра 9. буха́нка хле́ба
   10. па́чка пече́нья

7. 1. Э́то акционе́рное о́бщество.
   2. Апельси́ны и лимо́ны.
   3. Респу́блика Молдо́ва.
   4. Пови́дло, джéмы, тома́ты и други́е консе́рвы.
   5. Ги́бкие усло́вия.
   6. Железнодоро́жный и автотра́нспорт.

8. Лари́са: на за́втрак ест ка́шу и пьёт чай. На обе́д она́
   ест сала́т овощно́й, омле́т и пьёт сок. На у́жин она́ ест
   пиро́г с гриба́ми и пьёт чай.
   Та́ня на за́втрак ест бутербро́д с сы́ром и пьёт ко́фе.
   На обе́д она́ ест пи́ццу, я́блоко и пьёт сок. На у́жин она́
   ест пиро́г с гриба́ми и пьёт ко́фе.
   Ива́н: на за́втрак он ест яи́чницу, бутербро́д с колбасо́й
   и пьёт ко́фе. На обе́д он ест га́мбургер, чи́псы и пьёт
   ко́фе. На у́жин он ест ры́бу с карто́шкой и пьёт чай с
   пече́ньем.

UNIT 11

1. 1. e 2. i 3. b 4. f 5. a 6. d 7. h 8. c 9. g

2. 1. Оле́г – ма́стер спо́рта по пла́ванию.
   2. Когда́ он был ещё студе́нтом.
   3. Она́ увлека́ется гимна́стикой.
   4. Он хо́чет стать футболи́стом.
   5. Он до́лжен идти́ в бассе́йн.
   6. Джим запи́шет матч на видеомагнитофо́н.

3. бокс борьба́ волейбо́л гимна́стика коньки́ лы́жи
   пла́вание футбо́л хокке́й ша́хматы

4. 1. спортсме́ном 2. спо́ртом 3. медсестро́й
   4. футболи́стом 5. чемпио́нкой 6. гимна́стикой

5. 1. мо́жет 2. мо́жете 3. мо́жет 4. могу́ 5. мо́жешь
   6. мо́жем

6. 1. у́читесь, учу́сь 2. занима́ется, занима́ется
   3. улыба́ешься, улыба́юсь 4. начина́ется, конча́ется

7. 1. Ско́ро турни́р «Изве́стий».
   2. Соста́в игроко́в меня́ется ча́сто. Ещё есть
   фина́нсовые тру́дности.
   3. Кома́нда гото́вится усе́рдно.
   4. Помо́чь игрока́м прояви́ть себя́.
   5. Гото́виться к чемпиона́ту ми́ра.

8. 1. Лари́са ката́ется на лы́жах.
   2. Ива́н увлека́ется футбо́лом.
   3. Андре́й интересу́ется те́ннисом.
   4. Ни́на у́чится ката́ться на конька́х.
   5. Артём ката́ется на велосипе́де.
   Other variants are possible.

UNIT 12

1. 1. i 2. e 3. k 4. j 5. b 6. d 7. c 8. f 9. a 10. h 11. g

2. 1. a 2. b 3. a 4. c 5. a 6. b

3. 1. Это ру́сский сувени́р.
2. Это интере́сная газе́та.
3. Это но́вое пальто́.
4. Это англи́йские студе́нты.
5. Ма́ленький ма́льчик идёт в шко́лу.
6. У нас больша́я кварти́ра.
7. Ма́ленькие де́ти игра́ют в па́рке.

4. 1. там 2. У меня́ нет 3. ма́ленький 4. бли́зко
5. ме́дленно 6. отдыха́ть 7. пло́хо 8. ма́ло 9. закры́то
10. чёрный 11. нельзя́ 12. ве́чером 13. за́втра
14. до свида́ния

5. 1. бе́лый хлеб сто́ит шестьсо́т рубле́й.
2. Буты́лка пе́пси сто́ит ты́сяча пятьсо́т рубле́й.
3. Пли́тка шокола́да сто́ит три ты́сячи рубле́й.
4. Ту́фли стоя́т се́мьдесят ты́сяч рубле́й.
5. Сви́тер сто́ит сто два́дцать пять ты́сяч рубле́й.
6. Компью́тер сто́ит оди́н миллио́н рубле́й.

6. 1. Где она́ рабо́тает?
2. У Вас есть сестра́?
3. Здесь мо́жно кури́ть?
4. Ско́лько вре́мени? (Кото́рый час?)
5. Хоти́те во́дку?
6. Ско́лько сто́ит пла́тье?
7. Где ты был вчера́?
8. Куда́ вы ходи́ли в воскресе́нье?

7. 1. в апте́ке, в апте́ку 2. в кинотеа́тре, в кинотеа́тр
3. в Москве́, в Москву́ 4. в магази́не, в магази́н

8. 1. рабо́тал 2. отдыха́ли 3. ходи́ли 4. была́ 5. изуча́ли
6. купи́ли 7. встре́тил(а) 8. смотре́л(а) 9. был(а́)

9. 1. идёте иду́ 2. хо́дит 3. ходи́л ходи́л 4. пойду́т
пойдём 5. е́хать 6. е́здили е́здил 7. е́дет 8. пое́дут

10. 1. Меня́ зову́т Джим. О́чень прия́тно.
2. Отку́да Вы? Я из Аме́рики.
3. Ско́лько сто́ит э́та кни́га?
4. Нет, спаси́бо. Я не люблю́ во́дку.
5. Когда́ Вы пое́дете в Росси́ю?
6. Вчера́ мы ходи́ли в теа́тр.
7. Где ты был(а́)/Вы бы́ли вчера́? Я был(а́) до́ма.
8. Ско́лько вре́мени? (Кото́рый час?) Сейча́с 5 часо́в.
9. Вы не зна́ете, где гости́ница «Ко́смос»?
10. Да́йте буты́лку молока́, пожа́луйста.
11. Ива́н боле́ет за «Зени́т».
12. Како́е краси́вое пла́тье! Како́й э́то разме́р?

UNIT 13

1. 1. b 2. c 3. e 4. a 5. d

2. 1. Соколо́вы пое́дут на да́чу в выходны́е дни.
2. Сего́дня пого́да плоха́я.
3. В суббо́ту бу́дет тепло́, да́же жа́рко. В воскресе́нье
бу́дет гроза́.
4. Они́ бу́дут рабо́тать в саду́. Пото́м они́ пойду́т в лес
собира́ть грибы́.
5. Ива́н бу́дет лови́ть ры́бу на о́зере.
6. Они́ бу́дут ката́ться на ло́дке.
7. Они́ хотя́т пригласи́ть Джи́ма на да́чу.

3. 1. собира́ть 2. купа́ться 3. волейбо́л 4. рюкза́к
5. ката́ться 6. пала́тках Center column: Байка́л

4. я прочита́ю он пойдёт они́ сде́лают я напишу́ мы
посмо́трим ты пое́дешь вы уви́дите я позвоню́ она́
пригото́вит

5. 1. е́сли бу́дет хоро́шая пого́да 2. е́сли у него́ бу́дет
свобо́дное вре́мя 3. е́сли у меня́ бу́дут де́ньги 4. е́сли
они́ ку́пят биле́ты 5. е́сли бу́дет дождь 6. е́сли бу́дет
хо́лодно.

6. 1. Како́е о́зеро Байка́л?
2. Как вы е́хали?
3. Кака́я приро́да на Байка́ле?
4. Кака́я стои́т пого́да?
5. Где живу́т студе́нты?
6. Что студе́нты де́лают ка́ждый день?

7. ЗИМА́: Хо́лодно. Идёт снег. На у́лице моро́з. Де́ти
ката́ются на лы́жах.
ВЕСНА́: Не́бо голубо́е. Я́рко све́тит со́лнце. Тепло́, нет
ве́тра. Наш сад краси́вый весно́й.
ЛЕ́ТО: Я люблю́ ле́то. Жа́рко. На́ша семья́ отдыха́ет на
мо́ре. Мы лю́бим купа́ться и загора́ть.
О́СЕНЬ: Прохла́дно и сы́ро. Ча́сто идёт дождь. Ну́жно
брать зонт. Ду́ет си́льный ве́тер. Дере́вья и поля́
жёлтые.

UNIT 14

1. 1. d 2. c 3. f 4. e 5. a 6. b 7. g 8. h

2. 1. Да, э́то так.
2. Нет, э́то не так. Она́ е́здила на Байка́л.
3. Нет, э́то не так. Они́ познако́мились на Байка́ле.
4. Нет, э́то не так. У него́ све́тлые во́лосы и больши́е
се́рые глаза́.
5. Нет, э́то не так. Он у́чится в политехни́ческом
институ́те.
6. Да, э́то так.

3. 1. нос 2. рот 3. подборо́док 4. во́лосы 5. глаз 6. у́хо
7. зу́бы 8. ше́я

4. 1. ста́рше 2. мла́дше 3. вы́ше 4. доро́же 5. быстре́е
6. холодне́е 7. краси́вее

5. 1. са́мая гла́вная 2. са́мый большо́й 3. са́мая высо́кая
4. са́мый изве́стный 5. са́мый люби́мый 6. са́мая
ста́ршая

6.
Present	Past
она́ купа́ется	Вы занима́лись
они́ ката́ются	мы встреча́лись (встре́тились)
я улыба́юсь	ты увлека́лся (увлека́лась)

7. самолёт мужчи́на во́лосы глаза́ очки́ костю́м
портфе́ль газе́та такси́

8. 1. Та́ня вы́ше, чем И́ра.
2. Анто́н са́мый высо́кий.
3. Анто́н са́мый то́лстый.
4. Та́ня мла́дше, чем Анто́н.
5. У Анто́на се́рые глаза́.
6. У И́ры тёмные коро́ткие во́лосы.
7. У Та́ни дли́нные во́лосы и зелёные глаза́.

UNIT 15

1. 1. f 2. g 3. b 4. h 5. a 6. d 7. e 8. c

2. набра́ли попа́л был забы́л обсужда́ли был
вспо́мнил пригото́вил подсчита́л позвони́л написа́л

3. янва́рь февра́ль март апре́ль май ию́нь ию́ль а́вгуст сентя́брь октя́брь ноя́брь дека́брь

4. 1. Он де́лает прое́кт. Он сде́лал прое́кт.
   2. Она́ пи́шет письмо́. Она́ написа́ла письмо́.
   3. Он фотографи́рует соба́ку. Он сфотографи́ровал соба́ку.

5. 1. покупа́ю, купи́л 2. де́лал, сде́лал 3. написа́л, пи́шет 4. взяла́, берёт 5. кладёт, положи́л 6. получи́ла, получа́ет

6. Free answers.

7. Во вто́рник Оле́г позвони́л в аэропо́рт и узна́л рейс самолёта.
   В сре́ду Оле́г встре́тил господи́на Сабати́ни в аэропо́рту.
   В четве́рг Оле́г не был на совеща́нии.
   В пя́тницу Оле́г написа́л письмо́ в банк.
   В суббо́ту Оле́г не отпра́вил факс в Ки́ев.

UNIT 16

1. 1. e 2. h 3. g 4. b 5. c 6. d 7. a 8. f

2. биле́т но́мер про́даны командиро́вку ско́лько прибыва́ет купе́ уста́л отдохну́ть отправля́ется расписа́ние

3. спра́вочное кани́кулы платфо́рмы лете́ть пешко́м по́езд расписа́ние гости́ница проводни́к командиро́вку биле́та
   Central column: путеше́ствие

4. пе́рвый уро́к втора́я попы́тка тре́тий по́езд четвёртое января́ пя́тый ваго́н шеста́я остано́вка седьма́я платфо́рма восьмо́е ме́сто девя́тое ма́я деся́тая страни́ца

5. В 11 часо́в встре́ча в директора́ми гости́ниц.
   В 12.30. обе́д с колле́гами.
   С 14.00. до 18.00. рабо́та над предложе́ниями к прое́кту догово́ра.
   В 19 часо́в разгово́р по телефо́ну с жено́й и детьми́.
   В 20 часо́в у́жин в рестора́не «Садко́» с друзья́ми.

6. 1. надёжно, бы́стро и удо́бно
   2. делово́й пое́здки, тури́зма и транзи́та че́рез Росси́ю
   3. комфо́рт, хоро́шее обслу́живание, традицио́нное гостеприи́мство
   4. на удо́бный для Вас по́езд. в удо́бное для Вас вре́мя

7. 1. Да́йте, пожа́луйста, два биле́та до Москвы́.
   2. Во ско́лько (когда́) прибыва́ет самолёт из Ло́ндона?
   3. Где остано́вка такси́?
   4. С како́й платфо́рмы отправля́ется по́езд № 5?
   5. Где расписа́ние?
   6. Во ско́лько (когда́) прибыва́ет по́езд в Ки́ев?

UNIT 17

1. 1. d 2. e 3. f 4. g 5. a 6. h 7. c 8. b

2. 1. Джим хо́чет посла́ть факс.
   2. Он хо́чет посла́ть сро́чную телегра́мму.
   3. Ну́жно запо́лнить бланк.
   4. Де́сять ме́стных конве́ртов и семь за грани́цу.
   5. Око́шко «Бандеро́ли и посы́лки».
   6. Снача́ла страна́, пото́м го́род, у́лица, дом, кварти́ра и пото́м фами́лия и и́мя.

3. 1. Почтальо́н несёт пи́сьма, газе́ты и журна́лы.
   2. Ма́льчик идёт на по́чту.
   3. Де́вочка опуска́ет письмо́ в почто́вый я́щик.
   4. Де́вочка пи́шет письмо́.
   5. Де́вочка получи́ла письмо́.
   6. Мужчи́на посыла́ет факс.

4. 1. У Вас есть междунаро́дные конве́рты? Нет, сего́дня у нас нет междунаро́дных конве́ртов.
   2. У Вас есть кни́ги об Эрмита́же? Нет, сего́дня у нас нет книг об Эрмита́же.
   3. У Вас есть ру́сские плака́ты? Нет, сего́дня у нас нет ру́сских плака́тов.
   4. У Вас есть биле́ты в Большо́й теа́тр? Нет, сего́дня у нас нет биле́тов в Большо́й теа́тр.
   5. У Вас есть свобо́дные места́ в рестора́не? Нет, сего́дня у нас нет свобо́дных мест в рестора́не.
   6. У Вас есть ма́рки за грани́цу? Нет, сего́дня у нас нет ма́рок за грани́цу.

5.
Present	Future
он говори́т	они́ отдохну́т
она́ покупа́ет	Вы полу́чите
мы прихо́дим	он расска́жет
я спра́шиваю	

6. 1. Когда́ он ещё был ребёнком.
   2. Его́ оте́ц подари́л ему́ пе́рвые ма́рки.
   3. «Тра́нспорт», «Спорт», «Изве́стные лю́ди», «Па́мятные да́ты» и други́е.
   4. Его́ друзья́ привози́ли ему́ ма́рки.
   5. Он узнаёт но́вости филатели́и.

7. Suggested answer:
   Инде́кс 115489. г. Москва́. Сире́невый бульва́р. Дом 202, ко́р. 3, кв. 161. Соколо́вой Лари́се Па́вловне. Встреча́йте. Приезжа́ю за́втра в 7.15 утра́. По́езд №3, ваго́н №5. Мно́го багажа́. Возьми́те такси́. Оле́г.

UNIT 18

1. 1. e 2. g 3. b 4. f 5. c 6. a 7. d

2. Вам нельзя́ рабо́тать. Ну́жно лежа́ть в посте́ли и принима́ть лека́рства. Принима́йте табле́тки 3 ра́за в день. Бо́льше пе́йте чай и со́ки. В ко́мнате до́лжен быть све́жий во́здух.

3. 1. a рука́ 2. e нога́ 3. i грудь 4. h ше́я 5. f па́лец 6. b ло́коть 7. d коле́но 8. c живо́т 9. g голова́

4. 1. к. 2. в, за. 3. по. 4. че́рез. 5. из. 6. с. 7. на.

5. 1. купи́(те). 2. возьми́(те). 3. принима́й(те). 4. наде́нь(те). 5. говори́(те). 6. вы́ключи(те).

6. 1. за́нят, занята́, за́няты. 2. больна́, бо́лен, больны́. 3. ра́ды, рад, ра́да. 4. гото́вы, гото́в(а), гото́ва.

7. 1. Нет, э́то не так. У Ле́ны больша́я пробле́ма.
   2. Нет, э́то не так. Она́ о́чень лю́бит сла́дкое.
   3. Да, э́то так.
   4. Нет, э́то не так. У неё нет друзе́й.
   5. Да, э́то так.
   6. Да, э́то так.
   7. Нет, э́то не так. Ей ну́жно ходи́ть в спортза́л.

8. Есть фру́кты, де́лать заря́дку, пить сок, пла́вать в бассе́йне, ходи́ть пешко́м, занима́ться спо́ртом, е́здить на велосипе́де.

UNIT 19

1. 1. c 2. f 3. b 4. a 5. d 6. e

2. 1. Сего́дня у́тром, в авто́бусе №187.
   2. Ну́жно позвони́ть в Бюро́ нахо́док.
   3. Кра́сная косметни́чка, очки́, си́няя ру́чка, па́пка с деловы́ми бума́гами.
   4. Сейча́с.
   5. "You look awful." "Every cloud has a silver lining." (Literally: "No bad without good.")

3. 1. очки́ 2. кошелёк 3. бума́жник 4. фотоаппара́т
   5. у́дочку 6. часы́ 7. зо́нтик Central column: чемода́н

4. 1. Ча́шка разби́лась. 2. Разби́ли окно́. 3. Произошла́ ава́рия. 4. Велосипе́д слома́лся. 5. Он упа́л. 6. Он уши́б па́лец. 7. Он слома́л но́гу.

5. 1. Чей э́то зо́нтик? Э́то зо́нтик ма́тери.
   2. Чьё э́то кре́сло? Э́то кре́сло отца́.
   3. Чьи э́то очки́? Э́то очки́ де́душки.
   4. Чьи э́то кни́ги? Э́то кни́ги студе́нтов.
   5. Чьи э́то де́ти? Э́то де́ти сосе́дей.
   6. Чьи э́то фотогра́фии? Э́то фотогра́фии друзе́й.

6. 1. Вчера́ но́чью.
   2. Авто́бус столкну́лся с грузовико́м.
   3. Три челове́ка поги́бли и де́сять получи́ли серьёзные ране́ния.
   4. ГАИ и «Ско́рая по́мощь».
   5. Ско́льская по́сле дождя́ доро́га и привыше́ние ско́рости.

7. 1. вы́звать ГАИ и «Ско́рую по́мощь».
   2. пойти́ в медпу́нкт.
   3. обрати́ться в мили́цию.
   4. позвони́ть по телефо́ну 01.
   5. отда́ть в ремо́нт.

UNIT 20

1. 1. c 2. g 3. d 4. h 5. f 6. b 7. e 8. a

2. 1. Нет, э́то не так. Та́ня свобо́дна.
   2. Да, э́то так.
   3. Да, э́то так.
   4. Нет, э́то не так. Они́ пое́дут во Дворе́ц Спо́рта на музыка́льное шо́у.
   5. Нет, э́то не так. Та́ня купи́ла биле́ты.

3. 1. Марии́нский теа́тр. 2. Он нахо́дится в Санкт-Петербу́рге. 3. Бельэта́ж. 4. Ле́вая сторона́. 5. Ло́жа №19. 6. Ме́сто №6. 7. На ве́чер. 8. Биле́т сто́ит со́рок ты́сяч (40 000) рубле́й.

4. 1. идёт 2. доста́ть 3. понра́вилась 4. предпочита́ете 5. игра́ет 6. аплоди́ровали

5. 1. понра́вился 2. понра́вилась 3. понра́вились
   4. понра́вилось 5. понра́вились

6. 1. она́ бы пошла́ в теа́тр 2. он бы купи́л биле́ты 3. мы бы не опозда́ли 4. я бы написа́л(а) Вам письмо́

7. 1. Ко́нкурс пе́сни Еврови́дения.
   2. Да. Росси́я впервы́е принима́ет уча́стие в ко́нкурсе.
   3. И́менно по́сле э́того ко́нкурса весь мир узна́л и́мя «АББА».
   4. Ну́жно бы́ло изучи́ть стро́гие пра́вила ко́нкурса. Профессиона́льно провести́ отбо́рочный тур. Вре́мени бы́ло ма́ло.
   5. Потому́ что она́ тала́нтливая и неордина́рная певи́ца.

8. 1. Вы лю́бите теа́тр?
   2. Вы ча́сто хо́дите в теа́тр?
   3. Каку́ю му́зыку Вы предпочита́ете?
   4. Где вы бы́ли вчера́?
   5. Вам понра́вился конце́рт?
   6. Где бы́ли ва́ши места́?

UNIT 21

1. 1. e 2. d 3. c 4. a 5. f 6. b

2. 1. Потому́ что сего́дня мно́го дел.
   2. Междунаро́дный же́нский день.
   3. Обяза́тельно ну́жно купи́ть цветы́.
   4. Ба́бушке – коро́бку конфе́т, ма́ме – её люби́мые духи́, Та́не – те́ннисную раке́тку.
   5. Восьмо́го Ма́рта мужчи́ны должны́ де́лать все дома́шние дела́.
   6. Нет, ему́ не нра́вится пра́здник 8-ое Ма́рта.

3. 1. Он гото́вит сала́т. 2. Он мо́ет посу́ду. 3. Она́ стира́ет бельё. 4. Она́ чи́нит утю́г. 5. Она́ гла́дит бельё. 6. Он убира́ет ко́мнату.

4. блю́до ви́лка кастрю́ля кофе́йник кру́жка ло́жка нож сковорода́ стака́н таре́лка ча́йник ча́шка

5. 1. Джим хо́чет посла́ть две откры́тки роди́телям в Бо́стон.
   2. Нэ́нси хо́чет посла́ть пять откры́ток ро́дственникам в Аме́рику.
   3. Ли́дия хо́чет посла́ть одну́ откры́тку де́тям в Ки́ев.
   4. Вы хоти́те посла́ть семь откры́ток друзья́м во Фра́нцию.
   5. Я хочу́ посла́ть двена́дцать откры́ток студе́нтам в Росси́ю.

6. пошли́ шли зашли́ вошли́ подошёл вы́шел ушли́ пришли́

7. Find the answers in the text.

8. Free answers.

UNIT 22

1. встреча́ть/провожа́ть, говори́ть/молча́ть, жить/умира́ть, забыва́ть/вспомина́ть, заболе́ть/попра́виться, открыва́ть/закрыва́ть, покупа́ть/продава́ть, посыла́ть/получа́ть, стро́ить/разруша́ть, теря́ть/находи́ть

2. 1. Да, э́то так.
   2. Нет, э́то не так. Та́не предложи́ли рабо́ту на Да́льнем Восто́ке.
   3. Да, э́то так.
   4. Да, э́то так.
   5. Нет, э́то не так. Неда́вно Та́ня встре́тила учителе́й.
   6. Нет, э́то не так. Та́ня пойдёт в го́сти в сле́дующую суббо́ту.

3. 1. В ты́сяча восемьсо́т четы́рнадцатом/в ты́сяча восемьсо́т со́рок пе́рвом.
   2. В ты́сяча восемьсо́т девя́том/в ты́сяча восемьсо́т пятьдеся́т второ́м.
   3. В ты́сяча восемьсо́т два́дцать пе́рвом/в ты́сяча восемьсо́т во́семьдесят пе́рвом.
   4. В ты́сяча восемьсо́т два́дцать восьмо́м/в ты́сяча восемьсо́т деся́том.
   5. В ты́сяча восемьсо́т шестидеся́том/в ты́сяча девятьсо́т четвёртом.

4. 1. плóхо 2. мéдленно 3. блúзко 4. рéдко 5. тúхо
   6. внизý 7. назáд 8. тудá 9. давнó 10. мáло

5. 1. у котóрого с котóрым о котóром к котóрому
      котóрого
   2. с котóрой у котóрой о котóрой к котóрой
      котóрую

6. 1. Мáша спрáшивает придý ли я в гóсти.
   2. Тáня говорúт, что онá поéдет на Дáльний Востóк.
   3. Онú сказáли, что в шкóле нóвый дирéктор.
   4. Мáма сказáла, что онá ходúла в магазúн.
   5. Турúст спрáшивает скóлько стóит матрёшка.
   6. Онá спросúла, где я живý.

7. 1. Где Вы родилúсь?
   2. Когдá Вы закóнчили университéт?
   3. Вы зáмужем?
   4. Почемý Вы хотúте поéхать на Дáльний Востóк?
   5. Чем Вы занимáетесь в свобóдное врéмя?
   6. Вы готóвы к трýдностям?

8. Free answers.

UNIT 23

1. 1. f 2. g 3. a 4. e 5. h 6. d 7. b 8. c

2. 1. Нет, э́то не так. Джим уезжáет зáвтра.
   2. Да, э́то так.
   3. Да, э́то так.
   4. Нет, э́то не так. Артём предлагáет тост за Джúма.
   5. Нет, э́то не так. Артём предлагáет
      фотографúроваться.
   6. Да, э́то так.

3. 1. Эрмитáж 2. крéпость 3. пáмятник 4. собóр
   5. дворцé (дворéц) 6. клáдбище 7. Невá 8. галерéя
   Central column: мемориáл

4. приéхал поéхали заéхали переéхали доéхали уéхал

5. 1. по стáрым москóвским ýлицам 2. Вáшим
   инострáнным турúстам 3. нáших шкóльных учителéй
   4. интерéсных музéев 5. с моúми англúйскими
   коллéгами

6. 1. Скóлько стóит экскýрсия?
   2. Во скóлько (когдá) отправля́ется пóезд в Санкт-
      Петербýрг?
   3. Где бýдут жить турúсты?
   4. Мóжно заказáть нóмер на однóго?
   5. В прогрáмме есть экскýрсия в Эрмитáж?
   6. Кудá мóжно пойтú вéчером?

7. Free answers.

UNIT 24

1. 1. авáрия 2. велосипéд 3. встрéча 4. договóр
   5. канúкулы 6. командирóвка 7. кошелёк 8. лекáрство
   9. междунарóдный 10. пáмятник 11. подáрок
   12. расписáние 13. реклáма

2. 1. мáло 2. уходúть 3. свéтлый 4. никогдá 5. ночь
   6. тúхо 7. уезжáть 8. внизý 9. рáно 10. ничегó

3. 1. никогó 2. никудá 3. ничегó 4. никомý 5. никогдá

4. 1. сóрок четы́ре гóда 2. сто трúдцать вóсемь рублéй
   3. четы́реста пятьдеся́т человéк 4. две ты́сячи двéсти
   пятьдеся́т шесть книг 5. пéрвый урóк 6. девя́тое мáя
   7. в ты́сяча девятьсóт сóрок пя́том годý
   8. пятнáдцатого сентября́ ты́сяча девятьсóт семьдесят
   седьмóго гóда

5. 1. Кудá 2. Во скóлько (когдá) 3. Почемý 4. Скóлько
   5. Какáя 6. Кто 7. Что 8. Как 9. С кем 10. О чём
   11. Комý 12. Когó
   1. k 2. l 3. i 4. a 5. g 6. d 7. j 8. b 9. h 10. c 11. f 12. e

6. 1. Артём вы́ше, чем Вúктор.
   2. Плáтье дорóже, чем свúтер.
   3. Самолёт быстрéе, чем пóезд.
   4. Москвá старéе, чем Санкт-Петербýрг.
   5. Россúя холоднéе, чем Áнглия.

7. 1. бýдет отдыхáть, отдохнёт 2. бýдет дéлать, сдéлает
   3. бýдем смотрéть, посмóтрим 4. бýду читáть,
   прочитáю

8. 1. ходúли 2. шли 3. пойдёт 4. прихожý ухожý
   5. уéхал 6. приéхали

9. 1. Нáдо (нýжно) позвонúть в (or: идтú на) бюрó
      нахóдок.
   2. Нáдо (нýжно) посмотрéть расписáние.
   3. Нáдо (нýжно) вы́звать врачá.
   4. Нáдо (нýжно) отдáть их в мастерскýю.
   5. Нáдо (нýжно) идтú на пóчту.

10. 1. Какáя погóда сегóдня? Идёт дождь.
    2. Мне скýчно, потомý что я никогó не знáю здесь.
    3. У неё голубы́е глазá и свéтлые вóлосы.
    4. Какóе сегóдня числó? Сегóдня деся́тое мáя.
    5. Не везёт! У них нет англúйских газéт.
    6. Пóздно. Порá ложúться спать!
    7. У меня́ болúт головá.
    8. Что случúлось? Я упáл(а) и сломáл(а) рýку.
    9. О ком вы говорúте? Мы говорúм о нáших рýсских
       друзья́х.
    10. А С Пýшкин родúлся в ты́сяча семьсóт девянóсто
       девя́том годý.

Reference Section

THE RUSSIAN ALPHABET

PRINTED					
А а	Б б	В в	Г г	Д д	Е е
Ё ё	Ж ж	З з	И и	Й й	К к
Л л	М м	Н н	О о	П п	Р р
С с	Т т	У у	Ф ф	Х х	Ц ц
Ч ч	Ш ш	Щ щ	Ъ ъ	Ы ы	Ь ь
Э э	Ю ю	Я я			

HANDWRITTEN					
А *а*	*Б* *б*	*В* *в*	*Г* *г*	*Д* *д*	*Е* *е*
Ё *ё*	*Ж* *ж*	*З* *з*	*И* *и*	*Й* *й*	*К* *к*
Л *л*	*М* *м*	*Н* *н*	*О* *о*	*П* *п*	*Р* *р*
С *с*	*Т* *т*	*У* *у*	*Ф* *ф*	*Х* *х*	*Ц* *ц*
Ч *ч*	*Ш* *ш*	*Щ* *щ*	*Ъ* *ъ*	*Ы* *ы*	*Ь* *ь*
Э *э*	*Ю* *ю*	*Я* *я*			

VERBS

PRESENT TENSE

First Conjugation

The first conjugation includes verbs whose infinitive ends in -ать -ять -еть -овать -нуть.
The endings: -. (-у), -ешь, -ет, -ете, -ют (-ут).

	читАть	гулЯть	болЕть	рисОВАть	отдохНУть
я	читáЮ	гуляЮ	болéЮ	рисýЮ	отдыхáЮ
ты	читáЕШЬ	гуляЕШЬ	болéЕШЬ	рисýЕШЬ	отдыхáЕШЬ
он/онá/онó	читáЕТ	гуляЕТ	болéЕТ	рисýЕТ	отдыхáЕТ
мы	читáЕМ	гуляЕМ	болéЕМ	рисýЕМ	отдыхáЕМ
вы	читáЕТЕ	гуляЕТЕ	болéЕТЕ	рисýЕТЕ	отдыхáЕТЕ
онй	читáЮТ	гуляЮТ	болéЮТ	рисýЮТ	отдыхáЮТ

Second Conjugation

The second conjugation includes only verbs whose infinitive ends in -ить.
The endings: -. (-у) ишь -ит -им -ите -ят (-ат)

	говорИть	учИть	любИть	ходИть
я	говорЮ	учý	люблЮ	хожý
ты	говорИШЬ	ýчИШЬ	лю́бИШЬ	хóдИШЬ
он/онá/онó	говорИТ	ýчИТ	лю́бИТ	хóдИТ
мы	говорИМ	ýчИМ	лю́бИМ	хóдИМ
вы	говорИТЕ	ýчИТЕ	лю́бИТЕ	хóдИТЕ
онй	говорЯТ	ýчАТ	лю́бЯТ	хóдЯТ

PAST TENSE

The past tense forms of all verbs are derived from the infinitive by dropping the ending -ть and adding the endings -л (masculine), -ла (feminine), -ло (neuter) and -ли- (plural).

	FIRST CONJUGATION	SECOND CONJUGATION
Masc. sing.	читáЛ	говориЛ
Fem. sing.	читáЛА	говориЛА
Neut. sing.	читáЛО	говориЛО
Plural	читáЛИ	говориЛИ

FUTURE TENSE

There are two forms of the future tense in Russian:

The **compound future** is derived from the imperfective form of the verb. It implies that the action will happen or will be repeated.

The **simple future** is derived from the perfective form of the verb. It implies that the action will be completed in the future and will have an end result.

First conjugation

	COMPOUND FUTURE	SIMPLE FUTURE
я	бу́ду писа́ть	напишу́
ты	бу́дешь писа́ть	напи́шешь
он/она́/оно́	бу́дет писа́ть	напи́шет
мы	бу́дем писа́ть	напи́шем
вы	бу́дете писа́ть	напи́шете
они́	бу́дут писа́ть	напи́шут

Second conjugation

	COMPOUND FUTURE	SIMPLE FUTURE
я	бу́ду говори́ть	поговорю́
ты	бу́дешь говори́ть	поговори́шь
он/она́/оно́	бу́дет говори́ть	поговори́т
мы	бу́дем говори́ть	мы поговори́м
вы	бу́дете говори́ть	вы поговори́те
они́	бу́дут говори́ть	они́ поговоря́т

REFLEXIVE VERBS

A reflexive verb in Russian corresponds to the sort of verb in English which is followed by "self" or where "self" can be understood. For example: "to dress (oneself)" = одева́ться. The only possible reflexive endings are -ся (after a consonant) and -сь (after a vowel). Reflexive verbs are conjugated according to the rules of the 1st or 2nd verb conjugations as described above.

PRESENT TENSE

занима́ться (1st conjugation)	
я	занима́Юсь
ты	занима́ЕШЬся
он/она́/оно́	занима́ЕТся
мы	занима́ЕМся
вы	занима́ЕТЕсь
они́	занима́ЮТся

PAST TENSE

занима́ться (1st conjugation)	
Masc. sing.	занима́Лся
Fem. sing.	занима́ЛАсь
Neut. sing.	занима́ЛОсь
Plural	занима́ЛИсь

VERBS OF MOTION

The Russian verb which means "to go on foot, to walk" has the infinitive forms ходи́ть (habitual or repeated) and идти́ (one occasion, one direction).

PRESENT TENSE

	ходи́ть	идти́
я	хожу́	иду́
ты	хо́дишь	идёшь
он/она́/оно́	хо́дит	идёт
мы	хо́дим	идём
вы	хо́дите	идёте
они́	хо́дят	иду́т

PAST TENSE

	ходи́ть	идти́
Masc. sing.	ходи́л	шёл
Fem. sing.	ходи́ла	шла
Neut. sing.	ходи́ло	шло
Plural	ходи́ли	шли

SIMPLE FUTURE TENSE

	ходи́ть	идти́
я	схожу́	пойду́
ты	схо́дишь	пойдёшь
он/она́/оно́	схо́дят	пойдёт
мы	схо́дим	пойдём
вы	схо́дите	пойдёте
они́	схо́дят	пойду́т

The verb which means "to go by transportation, to travel" has the infinitives е́здить (habitual or repeated) and е́хать (one occasion, one direction).

PRESENT TENSE

	е́здить	е́хать
я	е́зжу	е́ду
ты	е́здишь	е́дешь
он/она́/оно́	е́здит	е́дет
мы	е́здим	е́дем
вы	е́здите	е́дете
они́	е́здят	е́дут

PAST TENSE

	е́здить	е́хать
Masc. sing.	е́здил	е́хал
Fem. sing.	е́здила	е́хала
Neut. sing.	е́здило	е́хало
Plural	е́здили	е́хали

SIMPLE FUTURE TENSE

	ездить	**ехать**
я	съе́зжу	пое́ду
ты	съе́здишь	пое́дешь
он/она́/оно́	съе́здит	пое́дет
мы	съе́здим	пое́дем
вы	съе́здите	пое́дете
они́	съе́здят	пое́дут

Note:

1.The compound future is formed with the verb быть in the future tense (бу́ду, бу́дешь, бу́дет, бу́дем, бу́дете, бу́дут) + the infinitive. The compound future is used rather rarely with the verbs of motion.

2. In the Russian language verbs of motion are often used with prefixes which give them more specific meanings. These verbs have one imperfective form, ending in -ходи́ть and a perfective ending -йти. For example: приходи́ть/прийти́ (to come), заходи́ть/зайти́ (to stop by) etc.

NOUNS

MASCULINE NOUNS

Singular

	QUESTION WORDS	**ENDING IN A CONSONANT**		**ENDING IN -й**	**ENDING IN -ь**
Nom.	кто? что?	ма́льчик	стол	трамва́й	портфе́ль
Acc.	кого́? чего́?	ма́льчика	стол	трамва́й	портфе́ль
Gen.	кого́? что?	ма́льчика	стола́	трамва́я	портфе́ля
Dat.	кому́? чему́?	ма́льчику	столу́	трамва́ю	портфе́лю
Instr.	кем? чем?	ма́льчиком	столо́м	трамва́ем	портфе́лем
Prep.	о ком? о чём?	о ма́льчике	о столе́	о трамва́е	о портфе́ле

Note:

1. Some masculine nouns take -e or -ю in the prepositional singular:

аэропо́рт (airport)	в аэропорту́
бе́рег (shore, bank)	на берегу́
год (year)	в году́
кра́й (edge)	на кра́ю
лес (forest)	в лесу́
мост (bridge)	на мосту́
пол (floor)	на полу́
порт (port)	в порту́
сад (garden)	в саду́
у́гол (corner)	в углу́
шкаф (wardrobe)	в шкафу́

2. Some masculine nouns ending in -a or -я (па́па, де́душка, дя́дя etc.) decline like feminine nouns (see feminine nouns).

Plural

	QUESTION WORDS	ENDING IN A CONSONANT		ENDING IN -й	ENDING IN -ь
Nom.	кто? что?	ма́льчики	столы́	трамва́и	портфе́ли
Acc.	кого́? что?	ма́льчиков	столы́	трамва́и	портфе́ли
Gen.	кого́? чего́?	ма́льчиков	столо́в	трамва́ев	портфе́лей
Dat.	кому́? чему́?	ма́льчикам	стола́м	трамва́ям	портфе́лям
Instr.	кем? чем?	ма́льчиками	стола́ми	трамва́ями	портфе́лями
Prep.	о ком? о чём?	о ма́льчиках	о стола́х	о трамва́ях	о портфе́лях

Note:

1. Some masculine nouns have the nominative plural ending in -a or -я:

а́дрес (address)	адреса́
бе́рег (shore, bank)	берега́
ве́чер (evening, party)	вечера́
глаз (eye)	глаза́
го́лос (voice)	голоса́
го́род (town)	города́
дом (house)	дома́
лес (forest)	леса́
но́мер (number, hotel room)	номера́
о́стров (island)	острова́
па́спорт (passport)	паспорта́
по́езд (train)	поезда́
счёт (check/bill)	счета́
тон (tone, tint)	тона́
учи́тель (teacher)	учителя́
цвет (color)	цвета́

2. Irregular masculine nouns in the plural:

Singular	Plural					
	NOM.	ACC.	GEN.	DAT.	INSTR.	PREP.
брат	бра́тья	бра́тьев	бра́тьев	бра́тьям	бра́тьями	о бра́тьях
де́рево	дере́вья	дере́вья	дере́вьев	дере́вьям	дере́вьями	о дере́вьях
друг	друзья́	друзе́й	друзе́й	друзья́м	друзья́ми	о друзья́х
сын	сыновья́	сынове́й	сынове́й	сыновья́м	сыновья́ми	о сыновья́х
ребёнок	де́ти	дете́й	дете́й	де́тям	детьми́	о де́тях
челове́к	лю́ди	люде́й	люде́й	лю́дям	людьми́	о лю́дях

3. Nouns ending in -ж -ч -ш -щ have the genitive plural ending -ей.

Example: nom. плащ – gen. плаще́й.

FEMININE NOUNS

Singular

	QUESTION WORDS	ENDING IN -а	ENDING IN -я	ENDING IN -й	ENDING IN -ь
Nom.	кто? что?	ма́ма	неде́ля	фами́лия	вещь
Acc.	кого́? что?	ма́му	неде́лю	фами́лию	вещь
Gen.	кого́? чего́?	ма́мы	неде́ли	фами́лии	ве́щи
Dat.	кому́? чему́?	ма́ме	неде́ле	фами́лии	ве́щи
Instr.	кем? чем?	ма́мой	неде́лей	фами́лией	ве́щью
Prep.	о ком? о чём?	о ма́ме	о неде́ле	о фами́лии	о ве́щи

Plural

	QUESTION WORDS	ENDING IN -а	ENDING IN -я	ENDING IN -й	ENDING IN -ь
Nom.	кто? что?	ма́мы	неде́ли	фами́лии	ве́щи
Acc.	кого́? что?	мам	неде́ли	фами́лии	ве́щи
Gen.	кого́? чего́?	мам	неде́ль	фами́лий	веще́й
Dat.	кому́? чему́?	ма́мам	неде́лям	фами́лиям	веща́м
Instr.	кем? чем?	ма́мами	неде́лями	фами́лиями	веща́ми
Prep.	о ком? о чём?	о ма́мах	о неде́лях	о фами́лиях	о веща́х

Irregular feminine nouns

	SINGULAR	PLURAL	SINGULAR	PLURAL
Nom.	дочь	до́чери	мать	ма́тери
Acc.	дочь	дочере́й	мать	матере́й
Gen.	до́чери	дочере́й	ма́тери	матере́й
Dat.	до́чери	дочеря́м	ма́тери	матеря́м
Instr.	до́черью	дочерьми́	ма́терью	матеря́ми
Prep.	о до́чери	о дочеря́х	о ма́тери	о матеря́х

NEUTER NOUNS

Singular

	QUESTION WORDS	ENDING IN -о	ENDING IN -е	ENDING IN -ие
Nom.	кто? что?	письмо́	мо́ре	зда́ние
Acc.	кого́? что?	письмо́	мо́ре	зда́ние
Gen.	кого́? чего́?	письма́	мо́ря	зда́ния
Dat.	кому́? чему́?	письму́	мо́рю	зда́нию
Instr.	кем? чем?	письмо́м	мо́рем	зда́нием
Prep.	о ком? о чём?	о письме́	о мо́ре	о зда́нии

Plural

	QUESTION WORDS	ENDING IN -о	ENDING IN -е	ENDING IN -ие
Nom.	кто? что?	пи́сьма	моря́	зда́ния
Acc.	кого́? что?	пи́сьма	моря́	зда́ния
Gen.	кого́? чего́?	пи́сем	море́й	зда́ний
Dat.	кому́? чему́?	пи́сьмам	моря́м	зда́ниям
Instr.	кем? чем?	пи́сьмами	моря́ми	зда́ниями
Prep.	о ком? о чём?	о пи́сьмах	о моря́х	о зда́ниях

Note:

1. The declension of neuter nouns ending in -мя.

	SINGULAR	PLURAL
Nom.	и́мя	имена́
Acc.	и́мя	имена́
Gen.	и́мени	имён
Dat.	и́мени	имена́м
Instr.	и́менем	имена́ми
Prep.	об и́мени	об имена́х

Note:

If a noun begins with a vowel, the preposition о is replaced with об.

ADJECTIVES

STEM-STRESSED ADJECTIVES

	QUESTION WORDS	MASCULINE	FEMININE	NEUTER	PLURAL
Nom.	како́й? кака́я? како́е? каки́е?	но́вый	но́вая	но́вое	но́вые
Acc.	како́й? каку́ю? како́е? каки́е?	но́вый	но́вую	но́вое	но́вые
Gen.	како́го? како́й? како́го? каки́х?	но́вого	но́вой	но́вого	но́вых
Dat.	како́му? како́й? како́му? каки́м?	но́вому	но́вой	но́вому	но́вым
Instr.	каки́м? како́й? каки́м? каки́ми?	но́вым	но́вой	но́вым	но́выми
Prep.	о како́м? о како́й? о како́м? о каки́х?	о но́вом	о но́вой	о но́вым	о но́вых

ENDING-STRESSED ADJECTIVES

	QUESTION WORDS	MASCULINE	FEMININE	NEUTER	PLURAL
Nom.	како́й(а́я, о́е, и́е)?	молодо́й	молода́я	молодо́е	молоды́е
Acc.	како́й(у́ю, о́е, и́х)?	молодо́й	молоду́ю	молодо́е	молоды́х
Gen.	како́го(у́ю, о́е, и́х)?	молодо́го	молодо́й	молодо́го	молоды́х
Dat.	како́му(о́й, о́му, и́х)?	молодо́го	молодо́й	молодо́го	молоды́х
Instr.	каки́м(о́й, и́м, и́ми)?	молоды́м	молодо́й	молоды́м	молоды́ми
Prep.	о како́м(о́й, о́м, и́х)?	о молодо́м	о молодо́й	о молодо́м	о молоды́х

SOFT ADJECTIVES

The vast majority of soft adjectives have a masculine singular ending in -ний. For example: сѝний (dark blue), послѐдний (last) etc.

	QUESTION WORDS	MASCULINE	FEMININE	NEUTER	PLURAL
Nom.	какóй(áя, óе, йе)?	послѐдний	послѐдняя	послѐднее	послѐдние
Acc.	какóй(ýю, óе, йе)?	послѐдний	послѐднюю	послѐднее	послѐдние
Gen.	какóго(óй, óго, йх)?	послѐднего	послѐдней	послѐднего	послѐдних
Dat.	какóму(óй,óму, йм)?	послѐднему	послѐдней	послѐднему	послѐдним
Instr.	какѝм(óй, йм, йми)?	послѐдним	послѐдней	послѐдним	послѐдними
Prep.	о каком(óй, óм, йх)?	о послѐднем	о послѐдней	о послѐднем	о послѐдних

Note:

Masculine adjectives used with animate nouns in the accusative singular use the question word какóго? and the ending -ого. For example: Я встрѐтил (когó?) – нóвого студѐнта. I have met (whom?) a new student.

COMPARATIVES

Regular

There are two ways to make the comparative or the superlative degree of an adjective.

ADJECTIVE	COMPARATIVE	SUPERLATIVE
1. красѝвый	красѝвее	красѝвейший
2. красѝвый	бóлее красѝвый	сáмый красѝвый

Note:

1. Some irregular comparative adjectives:

богáтый (rich)	богáче
большóй (big)	бóльше
блѝзкий (near)	блѝже
высóкий (high, tall)	вы́ше
грóмкий (loud)	грóмче
далёкий (distant)	дáльше
дешёвый (cheap)	дешѐвле
дорогóй (dear)	дорóже
корóткий (short)	корóче
лёгкий (light, easy)	лѐгче
молодóй (young)	молóже
мáленький (little)	мѐньше
нѝзкий (low)	нѝже
плохóй (bad)	хýже
пóздний (late)	пóзже
рáнний (early)	рáньше
хорóший (good)	лýчше

PRONOUNS

PERSONAL PRONOUNS

Nom.	я	ты	он/оно́	она́	мы	вы	они́
Acc.	меня́	тебя́	его́	её	нас	вас	их
Gen.	меня́	тебя́	его́	её	нас	вас	их
Dat.	мне	тебе́	ему́	ей	нам	вам	им
Instr.	мной	тобо́й	им	ей	на́ми	ва́ми	и́ми
Prep.	обо мне	о тебе́	о нём	о ней	о нас	о вас	о них

Note:

If you use a preposition in front of the pronouns его́, её, ему́, ей, им, и́ми, их, you must add the letter -н to these pronouns. For example: у него́, в неё, к нему́, с ней, к ним, с ни́ми, о них.

POSSESSIVE PRONOUNS

	MASCULINE	FEMININE	NEUTER	PLURAL
Nom.	мой	моя́	моё	мои́
Acc.	моего́/мой	мою́	моё	мои́х/мои́
Gen.	моего́	мое́й	моё	мои́х
Dat.	моему́	мое́й	моему́	мои́м
Inst.	мои́м	мое́й	мои́м	мои́ми
Prep.	о моём	о мое́й	о моём	о мои́х

Note:

Possessive pronouns твой, твоя́, твоё, твои́ and свой, своя́, своё, свои́ are declined as мой, моя́, моё, мои́.

	MASCULINE	FEMININE	NEUTER	PLURAL
Nom.	наш	на́ша	на́ше	на́ши
Acc.	на́шего, наш на́шу	на́ше	на́ших,	на́ши
Gen.	на́шего	на́шей	на́шего	на́ших
Dat.	на́шему	на́шей	на́шему	на́шим
Instr.	на́шим	на́шей	на́шим	на́шими
Prep.	о на́шем	о на́шей	о на́шем	о на́ших

Note:

Possessive pronouns ваш, ва́ша, ва́ше, ва́ши are declined as наш, на́ша, на́ше, на́ши.

DEMONSTRATIVE PRONOUN Э́ТОТ

	MASCULINE	FEMININE	NEUTER	PLURAL
Nom.	э́тот	э́та	э́то	э́ти
Acc.	э́того, э́тот	э́ту	э́то	э́тих, э́ти
Gen.	э́того	э́той	э́того	э́тих
Dat.	э́тому	э́той	э́тому	э́тим
Instr.	э́тим	э́той	э́тим	э́тими
Prep.	об э́том	об э́той	об э́том	об э́тих

DETERMINATIVE PRONOUNS

Весь

	MASCULINE	FEMININE	NEUTER	PLURAL
Nom.	весь	вся	всё	все
Acc.	всего́, весь	всю	всё	всех, все
Gen.	всего́	всей	всего́	всех
Dat.	всему́	всей	всему́	всем
Instr.	всем	всей	всем	все́ми
Prep.	обо всём	обо всей	обо всём	обо всех

Сам

	MASCULINE	FEMININE	NEUTER	PLURAL
Nom.	сам	сама́	само́	са́ми
Acc.	самого́, сам	саму́	само́	сами́х, са́ми
Gen.	самого́	само́й	самого́	сами́х
Dat.	самому́	само́й	самому́	сами́м
Instr.	сами́м	само́й	сами́м	сами́ми
Prep.	о само́м	о само́й	о само́м	о сами́х

NUMERALS

CARDINAL NUMBERS

1 оди́н одна́, одно́	2 два, две	3 три	4 четы́ре	5 пять
6 шесть	7 семь	8 во́семь	9 де́вять	10 де́сять
11 оди́ннадцать	12 двена́дцать	13 трина́дцать	14 четы́рнадцать	15 пятьна́дцать
16 шестна́дцать	17 семна́дцать	18 восемна́дцать	19 девятна́дцать	20 два́дцать
21 два́дцать оди́н	22 два́дцать два	23 два́дцать три	24 два́дцать четы́ре	25 два́дцать пять
26 два́дцать шесть	27 два́дцать семь	28 два́дцать во́семь	29 два́дцать де́вять	30 три́дцать
40 со́рок	50 пятьдеся́т	60 шестьдеся́т	70 семьдеся́т	80 во́семдесят
90 девяно́сто	100 сто	110 сто де́сять	125 сто два́дцать пять	200 две́сти
300 три́ста	400 четы́реста	500 пятьсо́т	600 шестьсо́т	700 семьсо́т
800 восемьсо́т	900 девятьсо́т	1000 ты́сяча	2000 две ты́сячи	3000 три ты́сячи
4000 четы́ре ты́сячи	5000 пять ты́сяч	6000 шесть ты́сяч	7505 семь ты́сяч пятьсо́т пять	1 000 000 миллио́н

ORDINAL NUMBERS

first –	пе́рвый	second –	второ́й	third –	тре́тий
fourth –	четвёртый	fifth –	пя́тый	sixth –	шесто́й
seventh –	седьмо́й	eighth –	восьмо́й	ninth –	девя́тый
tenth –	деся́тый	eleventh –	оди́ннадцатый	twelfth –	двена́дцатый

Note:

Ordinal numbers are actually adjectives, so they are declined as adjectives according to gender and number. For example: пе́рвый уро́к (first lesson), пе́рвая кни́га (first book), пе́рвое ма́я (first of May), пе́рвые цветы́ (first flowers).

PREPOSITIONS

Prepositions in the Russian language require the noun which follows them to be in a specific case.
For example: Ла́мпа над (instr.) столо́м. (There's a lamp on the table).

в	+ acc.	into, to
на	+ acc.	onto, to
че́рез	+ acc.	across, through
без	+ gen.	without
для	+ gen.	for
до	+ gen.	until, as far as, before
из	+ gen.	from
от	+ gen.	from
о́коло	+ gen.	near, approximately
по́сле	+ gen.	after
про́тив	+ gen.	against, opposite
ра́ди	+ gen.	for the sake of
с	+ gen.	since, from
среди́	+ gen.	among, in the middle of
у	+ gen.	by, at the house of
к	+ dat.	towards, to the house of
по	+ dat.	along, according to
за	+ instr.	behind, beyond
ме́жду	+ instr.	between
над	+ instr.	over
пе́ред	+ instr.	in front of
под	+ instr.	under
с	+ instr.	with
в	+ prep.	in, at
на	+ prep.	on, at
о/об	+ prep.	about
при	+ prep.	at the time of, in the presence of

MONTHS

янва́рь –	January	февра́ль –	February	март –	March	
апре́ль –	April	май –	May	ию́нь –	June	
ию́ль –	July	а́вгуст –	August	сентя́брь –	September	
октя́брь –	October	ноя́брь –	November	дека́брь –	December	

Note:

In January – в январе́ (prep.)

DAYS

понеде́льник –	Monday	вто́рник –	Tuesday	среда́ –	Wednesday
четве́рг –	Thursday	пя́тница –	Friday	суббо́та –	Saturday
воскресе́нье –	Sunday				

Note:

On Monday: в понеде́льник во вто́рник в сре́ду в четве́рг в пя́тницу в суббо́ту в воскресе́нье (+ acc.)

DATES

January 1, 1995 – 1-ое января́, 1995 (пе́рвое января́ ты́сяча девятьсо́т девяно́сто пя́тый год)

On January 1, 1995 – 1-ого января́ 1995 (пе́рвого января́ ты́сяча девятьсо́т девяно́сто пя́того го́да)

In 1995 – в ты́сяча девятьсо́т девяно́сто пя́том году́.

TIME

Ско́лько вре́мени (Кото́рый час)? – What's the time?

час – It's 1 o'clock

2 часа́ – It's 2 o'clock

3 часа́ – It's 3 o'clock

4 часа́ – It's 4 o'clock

5 часо́в, 6 часо́в, 7 часо́в, 8 часо́в – It's 5, 6, 7, 8 o'clock

Че́тверть девя́того – It's a quarter past 8.

Два́дцать мину́т деся́того – It's twenty minutes past 9.

Полпя́того – It's half past 4.

Без десяти́ шесть – It's 10 minutes to 6.

По́лночь – It's midnight.

Glossary

After each entry in the Glossary you will find the number of the unit in which the item of vocabulary first occurs. The gender is given in parentheses for nouns ending in -ь.

А

ава́рия	accident 20
а́вгуст	August 15
Австра́лия	Australia 17
автобус	bus 4
автомоби́ль (m.)	car 1
автомагистра́ль (f.)	highway, motorway 19
автотра́нспорт	transportation 10
а́дрес	address 1
А́зия	Asia 17
алфави́т	alphabet 1
актёр	actor 20
акционе́рный	joint stock 10
Аме́рика	America 17
англи́йский	English 3
А́нглия	England 5
анке́та	questionnaire, form 1
апельси́н	orange 10
аплоди́ровать	to applaud 21
апре́ль (m.)	April 15
апте́ка	drugstore, pharmacy 12
а́рмия	army 22
аспири́н	aspirin 18
А́фрика	Africa 17
аэропо́рт	airport 14

Б

ба́бушка	grandmother 2
бага́ж	luggage 17
Байка́л	Lake Baikal 13
бандеро́ль (f.)	small package 17
банк	bank 15
ба́нка	jar 10
бассе́йн	swimming pool 4
ба́шня	tower 14
бе́гать/бежа́ть	to run 9
без (+gen.)	without 3
безусло́вно	absolutely, undoubtedly 18
белоку́рый	blond, fair-haired 14
бельё	linen, washing, underclothing 21
бельэта́ж	dress circle 20
бе́лый	white 7
бе́рег (pl. берега́)	bank, shore 13
беспоко́иться/ побеспоко́иться	to worry, be anxious 11
библиоте́ка	library 1
бизнесме́н	businessman 1
биле́т	ticket 4
бли́зко	near, close 4
блу́зка	blouse 3

блю́до (pl. блю́да)	dish, course 10
бога́тый	rich 22
Бо́же мой!	Good gracious! 15
бо́лен (больна́, больны́)	ill, sick 18
боле́ть/заболе́ть	to be ill; to be a fan of 11
бо́льше	more, bigger 6
большо́й	big, large, great 3
борода́	beard 14
борщ	beetroot soup 10
борьба́	fight, struggle 11
брат (pl. бра́тья)	brother 1
брать/взять	to take 13
брю́ки	pants, trousers 7
бу́дущий	future (adj.) 11
бу́лочная	bakery 10
бульва́р	boulevard 6
бума́га	paper 3
бума́жник	wallet, billfold 19
бутербро́д	sandwich 10
буты́лка	bottle 10
буфе́т	buffet, sideboard 3
буха́нка	loaf 10
бухга́лтер	accountant, bookkeeper 2
бы́стро	quickly 6
бы́стрый	fast, quick 14
быть	to be 16
бюро́ нахо́док	lost and found office 19

В

в	in, to, into, on 2
ваго́н	carriage 16
ва́жный	important 14
ва́за	vase 4
вака́нсия	vacancy 22
ва́нная	bathroom 3
варе́нье	jam 10
ваш	your 2
ведь и́менно	exactly 20
Везёт!	lucky 17
великоле́пный	splendid, magnificent 13
велосипе́д	bicycle 4
ве́рно	true, correct 19
ве́село	gaily, merrily 8
весёлый	merry, cheerful 14
весна́	spring 13
весь	all, the whole of 9
вес	weight 14
ве́тер	wind 13
ве́чер (pl. вечера́)	evening, party 8

вече́рний	evening 7
ве́чером	in the evening 8
ве́чный	eternal, everlasting 20
ве́шалка	peg, rack, stand 3
вещь (f.)	thing 1
взять (perf.)	to take 10
ви́деть/уви́деть	to see 3
видео(магнитофо́н)	video 11
ви́лка	fork 3
вино́	wine 1
висе́ть	to hang 3
вкус	taste 14
вку́сный	nice, tasty, good 13
вме́сте	together 2
внизу́	below, downstairs 24
во	in, to, into, on 2
в о́бщем	on the whole 8
во́время	on time 16
вода́	water 10
води́тель	driver 19
во́дка	vodka 6
возвраща́ться	to return 14
во́здух	air 13
возмо́жность (f.)	possibility, opportunity 20
во́зраст	age 14
война́	war 21
вокза́л	railway station 2
вокру́г	around 13
волейбо́л	volleyball 13
волнова́ться	to worry 17
во́лосы	hair 14
вон	there (is) 1
во-пе́рвых	firstly 18
ворча́ть, ворчи́ть	to grumble 21
во ско́лько	at what (time) 16
воскресе́нье	Sunday 5
вот	here (is) 1
впервы́е	for the first time 20
вперёд	forward(s) 22
врач	doctor 2
вре́дно	harmful 9
вре́мя (pl. времена́)	time 5
всегда́	always 11
всего́	in all, only 2
всего́ хоро́шего	all the best 2
все	all 11
всё	everything 2
вско́ре	soon, shortly 8
вспомина́ть/ вспо́мнить	to remember 15
встава́ть/вста́ть	to get up 5
встре́ча	meeting 16

встреча́ть/встре́тить	to meet 8
встреча́ться/ встре́титься	to meet with 5
вто́рник	Tuesday 5
вход	entrance 4
входи́ть/войти́	to come in, to enter 3
вчера́	yesterday 8
въезд	entry 19
вы	you 1
выбира́ть/вы́брать	to choose 20
вы́бор	choice 20
вы́глядеть	to look like 14
вы́годный	beneficial, profitable 15
вызыва́ть/ вы́звать	to call out, to send for 17
выключа́ть/ вы́ключить	to switch off 18
вы́расти (perf.)	to grow up 22
высо́кий	high, tall 3
выходи́ть/вы́йти	to go out, to leave 21
выходно́й день	day off 8
вяза́ть	knit 8

Г

газе́та	newspaper 5
ГАИ	traffic police 19
галере́я	gallery 8
га́мбургер	hamburger 10
гаранти́ровать	to guarantee 16
гара́ж	garage 1
где	where 1
геро́й	hero 1
ги́бкий	flexible 10
гимна́стика	gymnastics 11
гла́вный	main 8
гла́дить/погла́дить	to iron 21
глаз (pl. глаза́)	eye 4
глубоко́	deeply 15
говори́ть/сказа́ть	to say, to speak 1
год	year 3
голова́	head 14
го́лоден	hungry 17
голубо́й	light blue 4
горди́ться	to be proud of 17
го́рло	throat 18
го́род (pl. города́)	town 1
горо́шек	peas 10
господи́н (f. госпожа́)	sir
гостеприи́мство	hospitality 16
гости́ная	living room 3
гости́ница	hotel 4
гость (m.)	guest 5
госуда́рственный	state (adj.) 8
гото́в	ready 22
гото́вить/ приготовить	to prepare, to get ready 9
гра́дус	degree 13
гра́фик	chart, schedule 24
грибы́	mushrooms 9
гроза́	thunderstorm 13
гром	thunder 13
гро́мко	loudly 18
грудь (f.)	chest 18

грузови́к	truck 19
гуля́ть/погуля́ть	to stroll, to have time off 2

Д

да	yes 1
дава́й(те)	let's 2
дава́ть/дать	to give 10
давно́	long ago 3
да́же	even 3
далеко́	far, a long way 4
Да́льний Восто́к	Far East 22
дальне́йший	further, subsequent 15
да́нные	data, facts, information 15
дань (f.)	tribute 21
дари́ть/подари́ть	to give as a present 21
да́та	date 17
да́ча	country house 5
дверь (f.)	door 3
движе́ние	movement, motion 6
дворе́ц	palace 20
де́вочка	girl 2
Дед Моро́з	Father Christmas, Santa Claus 21
де́душка	grandfather 2
де́лать/сде́лать	to do, to make 4
де́ло (pl. дела́)	business, matter 21
декабрь (m.)	December 15
день (m.) (pl. дни)	day 5
день рожде́ния	birthday 22
де́ньги	money 13
дере́вня	country, village 2
де́рево (pl. дере́вья)	tree 13
деревя́нный	wooden 7
десе́рт	dessert 10
дета́ль (f.)	detail 15
детекти́в	detective movie 20
де́ти	children 1
де́тская	children's room 3
де́тство	childhood 11
дешёвый	cheap 7
де́ятельность	activities, work 8
джем	jam 10
дива́н	couch 3
дискоте́ка	discotheque 8
дли́нный	long 6
для	for 7
днём	in the afternoon 8
до	to, up to, as far as 8
до́брый	kind 2
дово́лен	content 3
догово́р	agreement, contract 15
Договори́лись!	Agreed! 9
доезжа́ть/дое́хать	to reach 23
дождь (m.)	rain 13
докуме́нт	document 15
до́лжен	must, to have to 11
дом (pl. дома́)	house, home; apartment building 1
до́ма	at home, to be in 1
домохозя́йка	housewife 2
доро́га	road, way, journey 4
дорого́й	expensive 5
до́рого	it's expensive 7

до свида́ния	goodbye 1
достава́ть/доста́ть	to get 20
доста́точно	enough 3
достопримеча́тельности	tourist sights 23
дочь (pl. до́чери)	daughter 1
дразни́ть	to tease, to call names 18
друг (pl. друзья́)	friend
друго́й	another, other 7
дру́жный	friendly 2
ду́мать/поду́мать	to think 7
дуть/поду́ть	to blow 13
духи́	perfume 21
душ	shower 3
дя́дя	uncle 2

Е (ё)

Евро́па	Europe 17
его́	his 1
её	her 1
ежедне́вно	daily 19
е́здить/е́хать/ пое́хать	to go (by transportation), to travel 8
ей	her, to her 2
ему́	him, to him 2
ёлка	fir/Christmas tree 21
е́сли	if 3
есть/съесть	to eat 10
ещё	still, again, more 2

Ж

жаль	it's a pity 5
жа́рко	hot 13
ждать/подожда́ть	to wait for 1
жела́ние	a wish 22
жела́ть/пожела́ть	to wish 11
желе́зная доро́га	railroad 16
железнодоро́жный	railroad (adj.) 10
жёлтый	yellow 7
жена́	wife 1
жена́т	married 2
же́нский	lady's 7
же́нщина	woman 2
же́ртва	victim 19
живопи́сь (f.)	painting 23
живо́т	stomach 18
жизнь (f.)	life 22
жить	to live 2
журна́л	magazine, journal 15
журнали́ст	journalist 11
жюри́	jury 20

З

за	behind, beyond 4
заболева́ть/заболе́ть	to be/fall ill 18
забыва́ть/забы́ть	to forget 15
зави́сеть от	to depend on 13
заво́д	factory 1
за́втра	tomorrow 8
за́втрак	breakfast 10
за́втракать	to have breakfast 5
загора́ть/загоре́ть	to sunbathe 9
за́город	in the country 8

за грани́цу	abroad 17	и́ндекс	zip code, postcode 18

за грани́цу	abroad 17
зада́ча	task, goal 11
зака́з	order, reserve 16
зака́зывать/заказа́ть	to book, to order 10
зака́нчивать/ зако́нчить	to finish, to graduate from 11
закрыва́ть(ся)/ закры́ть(ся)	to close 6
закры́тый	closed 6
заку́ски	appetizers, snacks 10
зал	hall 23
замеча́тельный	remarkable, splendid 20
за́мужем	married 22
занима́ться/ заня́ться	to occupy oneself with 11
за́нят	busy, occupied, engaged 1
заня́тие	occupation 19
за́падный	western 23
запи́сывать/ записа́ть на ви́део	to record on video 11
запреща́ть/запрети́ть	to forbid 19
зарубе́жный	foreign 16
заря́дка	morning exercises 11
заходи́ть/зайти́	to stop by 20
заявля́ть/заяви́ть	to apply, to declare 20
звать/позва́ть	to call 1
звезда́	star 6
звони́ть/позвони́ть	to phone 8
зда́ние	building 4
здесь	here 1
здоро́вье	health 11
здо́рово!	that's great! 11
здра́вствуй(те)	hello 2
зелёный	green 6
земля́	land, earth, ground 3
зе́ркало	mirror 3
зима́	winter 13
зи́мний	winter 7
знако́мый	acquaintance 17
знамени́тый	well-known 20
зна́ние	knowledge 22
знать	to know 3
зна́чит	so, it means that 20
зонт	umbrella 13
зуб (pl. зу́бы)	tooth 18
зубно́й врач	dentist 18

И

и	and 1
игра́	game 11
игра́ть/сыгра́ть	to play 3
игро́к	player 11
иде́я	idea 21
идти́	to go 4
из	from, out of 1
изве́стный	famous 17
извиня́ть/извини́ть	to excuse 1
изуча́ть/изучи́ть	to study, to learn 6
и́ли	or 2
им	them, to them 4
и́менно	precisely 22
и́мпортный	imported 6
и́мя (pl. имена́)	name 1

и́ндекс	zip code, postcode 18
инжене́р	engineer 1
иногда́	sometimes 22
интересова́ться/ заинтересова́ться	to be interested (in) 11
интере́сный	interesting 4
испо́льзовать	to use 10
Ита́лия	Italy 15
италья́нский	Italian 15
ию́ль (m.)	July 15
ию́нь (m.)	June 15
их	their 2

К

кабине́т	office, study 3
Кавка́з	Caucasus 9
ка́ждый	every, each 5
каза́ться/показа́ться (мне ка́жется)	to seem (it seems to me) 3
как	how, as 1
како́й	which, what sort of 3
како́й-нибу́дь	any 20
календа́рь (m.)	calendar 1
кана́л	canal 23
кани́кулы	(school) vacation 9
капу́ста	cabbage 10
каранда́ш	pencil 3
ка́рий	hazel, brown (eyes) 14
карти́на	picture 3
карто́шка	potatoes 10
ка́сса	cash desk, ticket office 1
касси́р	cashier, ticket clerk 1
кастрю́ля	saucepan 21
ката́ться на лы́жах	to go skiing 6
ка́тер	motorboat 6
ка́торга	hard labor 21
кафе́	café 4
ка́ша	porridge 10
кварти́ра	apartment 1
кем	by whom 11
ке́мпинт	camping
кефи́р	yogurt 10
килогра́мм	kilogram 10
киломе́тр	kilometer 16
кинотеа́тр	cinema 1
кио́ск	stand, kiosk 15
кла́дбище	cemetery 23
кли́мат	climate 14
кло́ун	clown 4
клуб	club 4
кни́га	book 1
ковёр	carpet 3
когда́	when 5
кого́	whom 8
ко́жаный	leather 7
коле́но	knee 18
колле́га	colleague 16
коллекционе́р	collector 17
кома́нда	team 5
командиро́вка	business trip 16
ко́мната	room 2
компа́ния	company 5
компле́кт	set 17
компози́тор	composer 3

кому́	to whom, for whom 7
комфорта́бельный	comfortable 23
конве́рт	envelope 17
конди́терская	candy store, sweetshop 10
коне́чно	of course 2
ко́нкурс	competition 20
консе́рвы	canned foods 10
контине́нт	continent 17
конфе́та	candy, sweet 6
конча́ться/ко́нчиться	to finish, to end 5
коньки́	skates 11
коро́бка	box 10
коро́ткий	short 6
космети́чка	make-up case 19
костю́м	suit 7
ко́фе	coffee 10
кофе́йник	coffee pot 21
кошелёк	purse 19
ко́шка	cat 3
край	edge, border 22
краси́вый	beautiful 1
кра́сный	red 6
кре́йсер	cruiser 23
Кремль	Kremlin 1
кре́пость (f.)	fortress 23
кре́сло	armchair 3
крова́ть (f.)	bed 21
кру́жка	mug 21
к сожале́нию	unfortunately
кста́ти	to the point 11
кто	who 1
кто́-то	someone 19
ку́бок	trophy (sports) 11
куда́	where ... to 5
культу́рный	cultural 6
купа́ться	to bathe 9
купе́	compartment 16
купи́ть (perf.)	to buy 4
кура́нты	chime 21
кури́ть/закури́ть	to smoke 4
кусо́к	piece, bit 10
ку́рсы	courses 5
ку́ртка	coat, jacket 7
ку́хня	kitchen, cuisine 3

Л

ла́мпа	lamp 1
легенда́рный	legendary 23
лёд (на льду́)	ice (on ice) 8
лежа́ть	to lie, to be lying down 3
ле́кция	lecture 17
лека́рство	medicine 18
лес (pl. леса́)	forest 9
лет (pl.)	years 2
лета́ть/лете́ть/ полете́ть	to fly 16
ле́тний	summer (adj.) 9
ле́то	summer 13
ле́том	in summer 13
лимо́н	lemon 3
лимона́д	lemonade 10
литерату́ра	literature 6
литр	liter 10

лифт	elevator 3		
лицо́	face 19		
ли́чный	personal 11		
лоб	forehead 14		
лови́ть	to catch 9		
ло́дка	boat 13		
ло́жа	theater box 20		
ло́жка	spoon 3		
ложи́ться/лечь спать	to go to bed 5		
ло́коть (m.)	elbow 18		
лу́чше	better 9		
лу́чший	best 9		
лы́жи (pl.)	skis 13		
люби́ть	to like, to love 5		
люби́мый	favorite 3		
лю́ди (pl.)	people 4		

М

магази́н	shop 2
май	May 15
ма́ленький	small, little 2
ма́ло	little, few 17
ма́льчик	boy 1
ма́рка	stamp 17
март	March 15
ма́сло	butter, oil 10
ма́стер	master 11
мастерска́я	workshop 24
матрёшка	Russian doll 1
мать (pl. ма́тери)	mother 1
матч	match 11
маши́на	car 3
мёд	honey 10
медпу́нкт	first-aid station 19
медсестра́	nurse 2
ме́жду	between 3
ме́жду про́чим	by the way 14
междунаро́дный	international 17
ме́лочь	change 19
меня́	me 1
меня́ть/поменя́ть	to change 11
меню́	menu 10
ме́стный	local 17
ме́сто	place, seat 1
ме́сяц	month 20
метро́	subway, underground 2
мечта́ть	to dream 11
милиционе́р	policeman 4
минера́льная вода́	mineral water 10
мину́точку!	just a minute! 3
мир	world; peace 20
мла́дший	the younger 14
мне	to me 3
мно́го	much, many 9
мо́дный	in fashion 7
мо́жет быть	perhaps 7
мо́жно	it's possible, one may 1
мой	my 2
молоде́ц!	well done! 15
молодо́й	young 6
молоко́	milk 3
молча́ть	to be silent 22
мо́ре	sea 1

морко́вь (f.)	carrots 10
моро́женое	ice cream 6
моро́з	frost 13
Москва́	Moscow 1
моско́вский	Moscow (adj.) 3
мост	bridge 18
мочь (могу́, мо́жешь, мо́гут)	to be able to 11
муж	husband 2
мужско́й	men's (adj.) 7
мужчи́на	man 14
музе́й	museum 4
му́зыка	music 6
мы	we 2
мы́ло	soap 3
мыть/вы́мыть	to wash 9
мясно́й	meat (adj.) 10
мя́со	meat 6
мяч	ball 3

Н

на	on, to 2
на́бережная	embankment 9
набира́ть/набра́ть	to dial 15
наблюда́ть	to watch 6
наве́рное	probably 5
наверху́	above, upstairs 22
над	over, above 5
надева́ть/наде́ть	to put on, to dress 18
наде́яться	to hope 15
надёжный	reliable 16
на́до	it's necessary 6
называ́ться	to be called 7
наилу́чший	best of all 21
наконе́ц	at last, finally 13
нале́во	to the left 4
написа́ть (perf.)	to write 13
напра́во	to the right 4
напро́тив	opposite 3
наро́д	people 10
на́сморк	cold (in the head) 18
настоя́щий	real, present 11
насчёт	as regards 21
находи́ть/найти́	to find 18
находи́ться	to be situated 4
национа́льный	national 11
начина́ть(ся)/ нача́ть(ся)	to begin 5
наш	our 2
не	not 1
не́бо	sky 7
небольшо́й	not big 3
нева́жно	unimportant 14
неда́вно	recently 3
недалеко́	not far 11
неде́ля	week 9
не́ за что	not at all 4
нельзя́	it's forbidden 4
немно́го	a little, a few, some 4
необы́чный	unusual 3
неожи́данность (f.)	surprise 6
неордина́рный	not ordinary 20
непло́хо	not bad 8
неплохо́й	quite good 10

непра́вильно	wrong, incorrect 15
неприя́тно	unpleasantly 13
несча́стный	unhappy, miserable 18
неудо́бный	uncomfortable, inconvenient 3
неуже́ли?	Is it true? Really? 14
нет	no 1
нигде́	nowhere 13
ни́зкий	low 3
никогда́	never 20
никто́	no one, nobody 20
никуда́	to nowhere 20
ни о чём	about nothing 20
ничего́	nothing 5
новорождённый	newborn 21
новосе́лье	house-warming 21
но́вости	news 5
но́вый	new 3
нога́	foot, leg 18
нож	knife 3
но́мер	number, hotel room 15
норма́льный	normal, usual 18
нос	nose 14
носи́ть	to wear 7
носки́	socks 1
но́ты	musical notes 3
ночь (f.)	night 1
но́чью	at night 18
ноя́брь (m.)	November 15
ну́жно	it's necessary 4
ня́ня	nursemaid 3

О

обе́д	lunch 5
обе́дать/пообе́дать	to have lunch 5
о́блоко	cloud 13
обра́тный	return (adj.) 17
обслу́живание	service 16
обсужда́ть/обсуди́ть	to discuss 15
о́бувь (f.)	footwear 7
о́бщество	society 10
о́бщий	general 16
общи́тельный	sociable 22
объявле́ние	announcement, advertisement 9
обы́чай	custom 23
обы́чно	usually 5
обы́чный	usual 2
обяза́тельно	certainly 5
о́вощи (pl.)	vegetables 10
овощно́й	vegetable (adj.) 10
одева́ть(ся)/ оде́ть(ся)	to dress 7
оде́жда	clothes 7
одея́ло	blanket 3
оди́н (f. одна́)	one, alone 1
одино́ко	lonely 18
ожида́ние	expectation 20
о́зеро	lake 9
ока́зываться/ оказа́ться	to turn out to be 19
окно́	window 1
о́коло	near, by 4
око́шко	ticket window 17
октя́брь (m.)	October 15

омлéт	omelet 10
он	he 1
онá	she 1
онó	it 1
они́	they 1
опáздывать/опаздáть	to be late 11
опáсность (f.)	danger 19
óпера	opera 6
оплáта	payment 3
опознавáть/опознáть	to identify 19
опускáть/опусти́ть	to put in (down); post 17
óпыт	experience 22
опя́ть	again 4
орéх	nut 3
óсень (f.)	fall, autumn 13
осетри́на	sturgeon 10
осно́вывать/основáть	to found 8
осóбенно	in particular 6
осóбенный	special 8
оставля́ть/остáвить	to leave (to forget) 19
останáвливаться/ останови́ться	to stay, to stop 9
останóвка	stop 4
осторóжно!	be careful, look out! 19
осуществля́ть/ осуществи́ть	to carry out 10
от	(away) from 2
отбóр	selection 11
отвéт	answer, reply 1
отвéтственность (f.)	responsibility 11
отвéтственный	responsible 11
отгрýзка	loading 10
óтдых	rest, holiday 9
отдыхáть/ отдохнýть	to rest, to have a holiday 5
отéц	father 2
отéчественный	patriotic 21
откáзываться/ отказáться	to refuse 18
открывáть(ся)/ откры́ть(ся)	to open 6
откры́тка	postcard 13
откры́тый	open 10
откýда	from where 1
отли́чный	excellent 13
отправля́ть/ отпрáвить	to post 4
óтпуск	leave 16
отходи́ть/отойти́	to move away from 16
óчень	very 1
очереднóй	next, regular 20
óчки	glasses 14

П

палáтка	tent 9
пáлец	finger 18
пальтó	coat 3
пáмятник	monument 23
пáмятный	memorable 17
пáмять (f.)	memory 21
пáпка	folder 19
пáрень	lad 14
парк	park 1
партéр	stalls 20

парфюмéрия	perfumery 7
пáсмурно	cloudy, dull 13
Пáсха	Easter 21
пáчка	package 10
певи́ца (f.)	singer (f.) 20
нéрвое	first course (of a meal) 10
пéрвый	first 10
переговóры	negotiations 16
пéред	before, in front of 3
передавáть/передáть	to hand over 13
передáча	transmission 11
переезжáть/ переéхать	to move into, to cross 23
перекрёсток	crossroads 4
пересáдка	transfer, change (on bus etc.) 5
пери́од	period 11
пéсня	song 1
печéнье	cookie, biscuit 10
пешкóм	on foot 4
пиани́но	piano 3
пи́во	beer 6
пирóг	pie 10
пиро́жное	small cake 10
писáть/написáть	to write 5
письмó	letter 1
питáние	food, nourishment 10
питáться	to eat 18
пить (пью, пьёшь)	to drink 16
пи́цца	pizza 10
плáвание	swimming 11
плáвать/плыть	to swim 5
плакáт	poster 17
план	map, plan 4
пласти́нка	record 7
плати́ть/заплати́ть	to pay 7
платфóрма	platform 16
плáтье	dress 1
плацкáрта	reserved seat 16
пли́тка	bar (of chocolate) 10
плóхо	badly 13
плохóй	bad 1
плóщадь (f.)	square 6
пляж	beach 9
по	on, over, along 5
по-англи́йски	in English 1
побéда	victory 21
побеждáть/победи́ть	to win 20
поболтáть (perf.)	to have a chat 22
повезлó!	lucky 20
пови́дло	jam 10
пóвод	reason 11
погибáть/поги́бнуть	to perish 19
поги́бший	perished 21
погóда	weather 13
под	under 3
подáрок	present, gift 7
подрýга	girlfriend 1
подборóдок	chin 14
подýшка	pillow 3
подходи́ть/подойти́	to come up to, to approach; to be suitable 21
пóезд	train 14

поéздка	trip 23
пожáлуйста	please 1
пожелáние	wish 21
позади́	behind 3
позвони́ть (perf.)	to phone 13
пóздно	late 5
познакóмиться	to get to know (someone), to become acquainted 14
покá	bye-bye 22
покупáть (perf.)	to buy 15
пол (на полý)	floor (on the floor) 3
пóле	field 13
полéгче	a bit easier 20
полéзный	useful 15
поликли́ника	polyclinic 14
политехни́ческий	polytechnic 14
полити́ческий	political 6
полкилó	half a kilo 10
пóлночь (f.)	midnight 11
полови́на	half 5
получáть/получи́ть	to get, to receive 12
пóльзоваться	to use 16
поменя́ть (perf.)	to change 7
помидóр	tomato 7
помогáть/помóчь	to help 6
по-мóему	in my opinion 16
понедéльник	Monday 5
понимáть/поня́ть	to understand 4
понрáвиться (perf.)	to enjoy 8
поня́тно	I see 4
попадáть/попáсть	to reach, to get to 15
поправля́ться/ поправиться	to get better 18
порá	it's time 18
портфéль (m.)	briefcase, attaché case 14
по-рýсски	in Russian 1
посети́тель (m.)	visitor 8
посещáть/посети́ть	to visit 16
посещéние	visit 23
пóсле	after 5
послéдний	last 23
посмотри́(те)!	look! 1
постáвка	supply 10
постéль (f.)	bedding 18
поступáть/поступи́ть	to enter 19
посýда	dishes 9
посылáть/послáть	to send
потолóк	ceiling 3
потóм	then 4
похóд	hike 11
похорóнен	buried 23
почемý	why 7
пóчта	post office 2
почтальóн	mailman 17
почти́	almost, nearly 13
поэ́тому	therefore 5
прáвда	truth 11
прáвило	rule 20
прáвильно	correctly 17
прáздник	public holiday, festival 21
прáктика	practice 6

совсём	quite, entirely 5	счастье	happiness 21	**У**	
сок	juice 10	счёт	bill 10	у	by 5
со́лнце	the sun 1	США	USA 1	убира́ть/убра́ть	to tidy 21
сообща́ть/сообщи́ть	to inform	сын	son 2	уважа́емый	respected 14
соревнова́ние	competition 11	сыр	cheese 10	уваже́ние	respect, esteem 14
сорт	grade, kind 10	сы́ро	it's wet 13	уве́ренный	sure 18
сосе́д	neighbour 19	сюда́	here, this way 13	увлека́ться/увле́чься	to be keen on 11
соста́в	staff, team 11			увлече́ние	hobby 17
состоя́ться	to take place 20	**Т**		у́гол	corner 3
сотру́дничать	to cooperate 7	так	so 5	у́голь (m.)	coal 7
спа́льня	bedroom 3	тако́й	such 18	уда́ча	luck 18
спаси́бо	thank you 1	такси́	taxi 4	удо́бный	comfortable, convenient 3
спать	to sleep 5	там	there 1	удо́бства	conveniences, facilities 3
специали́ст	specialist 7	танцева́ть	to dance 6		
споко́йный	calm 6	таре́лка	plate 3	у́дочка	fishing rod 19
спорти́вный	sports, casual 7	твой	your, yours 5	уезжа́ть/уе́хать	to go away, to leave 23
спортсме́н	sportsman 11	телеви́зор	TV 3	ужа́сно	it's terrible 19
спо́ртзал	gymnasium 4	телефо́н	telephone 3	уже́	already 3
спортла́герь (m.)	sport camp 9	те́ло	body 18	у́жин	supper 10
спра́ва	to the right 4	тем не ме́нее	nevertheless 11	у́жинать/поу́жинать	to have supper 5
спра́вка	enquiry 16	те́ннис	tennis 11	узнава́ть/узна́ть	to find out, to recognize 17
спра́вочное (бюро́)	information desk 16	тёмный	dark 3		
спра́шивать/спроси́ть	to ask 8	тепе́рь	now 4	украи́нский	Ukrainian 10
среда́	Wednesday 5	тепло́	it's warm 13	укра́сть (perf.)	to steal 19
сро́чно	urgently 16	теря́ть/потеря́ть	to lose 22	украша́ть/укра́сить	to decorate 21
сро́чный	urgent 17	тетра́дь (f.)	exercise book 21	у́лица	street 1
стадио́н	stadium 2	тётя	aunt 1	у́личное движе́ние	traffic 6
стака́н	a glass 3	ти́хий	quiet 3	улыба́ться/улыбну́ться	to smile 11
станови́ться/стать	to become 17	това́ры	goods 7		
ста́нция	station 4	то́же	too, also 9	умира́ть/умере́ть	to die 22
стари́к	old man 3	толсте́ть/потолсте́ть	to get fat 18	у́мный	clever 1
ста́рший	elder 14			универма́г	department store 7
ста́рый	old 3	то́лстый	fat, stout, thick 6	упа́сть (perf.)	to fall over 19
стара́ться/постара́ться	to try 18	то́лько	only 2	уро́к	lesson, unit 1
		тома́т	tomato 10	усе́рдно	zealously 11
стесня́ться/постесня́ться	to be shy, to feel ashamed 18	тон (pl. тона́)	shade, tint 7	усло́вие	condition 10
сти́рать/постира́ть	to do the laundry 21	то́нкий	thin 6	услу́га	service, favor 16
стих	verse 6	торго́во-комме́рческий	advertisement 7	успе́х	success 11
сто	one hundred 7			успока́иваться/успоко́иться	to calm down 19
сто́имость (f.)	price 9	торже́ственный	festive 21		
сто́ить	to cost 7	торт	cake 10	устава́ть/уста́ть	to be tired 11
стол	table 3	тост	toast 23	у́тро	morning 8
столи́ца	capital 6	то́чно	exactly 7	у́тром	in the morning 8
столкну́ться (perf.)	to collide 19	трава́	grass 7	утю́г	iron (for clothes) 3
сторона́	side 3	тракто́рист	tractor driver 4	уча́ствовать	to take part, to participate 11
стоя́ть	to stand 3	трамва́й	streetcar, tram 1		
страна́	country, land 1	тре́бовать/потре́бовать	to demand 7	учёба	studies 15
страни́ца	page 16			учи́тель (m.)	teacher 9
стра́нник	wanderer 20	тре́нер	coach, trainer 11	учи́ться	to study 2
стрела́	arrow 16	тренирова́ться	to train 11	ушиба́ться/ушиби́ться	to hurt oneself 19
стро́гий	strict 20	тре́тий	third 16		
стро́ить/постро́ить	to build 22	три	three 1	уха́	fish soup 10
стро́ительство	construction 23	тру́дность (f.)	difficulty 11	у́хо (pl. у́ши)	ear 14
стро́йный	slender 14	тру́дный	difficult 11	ую́тный	cosy 4
стул (pl. сту́лья)	chair 3	турба́за	tourist center 13		
суббо́та	Saturday 5	туда́	there 4	**Ф**	
сувени́р	souvenir 7	туале́т	toilet 3	факс	fax 15
суда́к	perch 10	тури́ст	tourist 1	факульте́т	faculty 22
с удово́льствием	with pleasure 13	турни́р	tournament 11	фами́лия	surname 1
су́мка, су́мочка	purse, handbag 7	тут	here 1	февра́ль (m.)	February 15
суп	soup 10	ту́фли	shoes 7	фигу́рное ката́ние	figure skating 20
счастли́вый	happy 14	ты	you 1	филатели́я	philately, stamp collecting 17
Счастли́вого пути́!	Have a good journey! 16	ты́сяча	one thousand 7		
		тяжёлый	hard 11	фина́нсы	finances 11

финанси́ровать	to finance 11	
фина́нсовый	financial 11	
фи́рма	firm, company 2	
фона́рь *(m.)*	lantern 1	
фотогра́фия	picture 2	
фотографи́ровать	to take pictures 3	
фру́кты	fruit 10	
футбо́л	football, soccer 6	

Х

хара́ктер	character, nature 14
хлеб	bread 1
ходи́ть	to go (on foot), to walk 5
хокке́й	hockey 11
холо́дный	cold 2
хоро́ший	good 1
хорошо́	it's fine, OK 1
хоте́ть	to want 6
худо́жник	artist 8
худо́жественный	artistic 8
ху́же	worse 18

Ц

царь *(m.)*	tsar, king 1
цвет *(pl.* цвета́)	color 7
цвето́к *(pl.* цветы́)	flower 3
целова́ть(ся)	to kiss 13
це́лый	whole 17
це́нный	valuable 17
центр	center 6

Ч

чай	tea 1
ча́йник	teapot 3
час	hour 2

часы́	clock, watch 2
ча́сто	often 3
часть *(f.)*	part 18
ча́шка	cup 3
чей	whose 2
челове́к *(pl.* лю́ди)	person 19
чемода́н	suitcase 13
чемпио́н	champion 11
чемпиона́т	championship 11
че́рез	across 16
чёрный	black 7
четве́рг	Thursday 5
че́тверть	quarter 5
четы́ре	four 1
чини́ть/почини́ть	to mend, to repair 21
чи́псы	French fries 10
число́	date, number 15
чи́стый	clean 13
чита́ть/прочита́ть	to read 5
что	what 1
что-нибу́дь	something 15
чу́вствовать/ почу́вствовать	to feel 18

Ш

шаг	(foot)step, pace 20
шампа́нское	champagne 6
шампу́нь *(m.)*	shampoo 3
шанс	chance 20
ша́пка	hat 7
ша́рф	scarf 1
шашлы́к	shashlik, kebab 10
шве́дский	Swedish 20
шёлко́вый	silk 7
шерстяно́й	woollen 7
шесть	six 1

ше́я	neck 18
широ́кий	wide 6
шкаф	closet, wardrobe 3
шко́ла	school 1
шко́льник	schoolboy 2
шокола́д	chocolate 10
шу́мный	noisy 6

Щ

щека́	cheek 1
щи	cabbage soup 10

Э

экономи́ст	economist 23
экономи́ческий	economic 6
экску́рсия	excursion 9
экскурсово́д	guide 23
электри́чка	local train 8
эта́ж	floor, storey 3
э́ти	these 1
э́то	this, it 1

Ю

ю́бка	skirt 3
юг	south 4
ю́жный	southern 3

Я

я	I
я́блоко	apple 1
я́года	berry 9
язы́к	language, tongue 5
яи́чница	fried eggs 10
яйцо́	egg 10
янва́рь *(m.)*	January 15
я́ркий	bright 7